사고력 수학 소마가 개발한 연산학습의 새 기준!!

소마의 **마**술같은 원리**셈**

소마셈

B3
2학년

KB094279

수학이 즐거워지는 특별한 수학교실
소마에서 개발한 연산교재 소마셈 **소마셈**

2002년 대치소마 개원 이후로 끊임없는 교재 연구와 교구의 개발은 소마의 자랑이자 자부심입니다. 교구, 게임, 토론 등의 다양한 활동식 수업으로 스스로 문제해결능력을 키우고, 아이들이 수학에 대한 흥미와 자신감을 가질 수 있도록 차별성 있는 수업을 해 온 소마에서 연산 학습의 새로운 패러다임을 제시합니다.

연산 교육의 현실

연산 교육의 가장 큰 폐해는 '초등 고학년 때 연산이 빠르지 않으면 고생한다.'는 기존 연산 학습지의 왜곡된 마케팅으로 인해 단순 반복을 통한 기계적 연산을 강조하는 것입니다. 하지만, 기계적 반복을 위주로 하는 연산은 개념과 원리가 빠진 연산 학습으로써 아이들이 수학을 싫어하게 만들 뿐 아니라 사고의 확장을 막는 학습방법입니다.

초등수학 교과과정과 연산

초등교육과정에서는 문자와 기호를 사용하지 않고 말로 풀어서 연산의 개념과 원리를 설명하다가 중등교육과정부터 문자와 기호를 사용합니다. 교과서를 살펴보면 모든 연산의 도입에 원리가 잘 설명되어 있습니다. 요즘 현실에서는 연산의 원리를 묻는 서술형 문제도 많이 출제되고 있는데 연산은 연습이 우선이라는 인식이 아직도 지배적입니다.

연산 학습은 어떻게?

연산 교육은 별도로 떼어내어 추상적인 숫자나 기호만 가지고 다뤄서는 절대로 안됩니다. 구체물을 가지고 생각하고 이해한 후, 연산 연습을 하는 것이 필요합니다. 또한, 속도보다 정확성을 위주로 학습하여 실수를 극복할 수 있는 좋은 습관을 갖추는 데에 초점을 맞춰야 합니다.

소마샘 연산학습 방법

10이 넘는 한 자리 덧셈   구체물을 통한 개념의 이해

덧셈과 뺄셈의 기본은 수를 세는 데에 있습니다. 8+4는 8에서 1씩 4번을 더 센 것이라는 개념이 중요합니다. 10의 보수를 이용한 받아 올림을 생각하면 8+4는 (8+2)+2지만 연산 공부를 시작할 때에는 덧셈의 기본 개념에 충실한 것이 좋습니다. 이 책은 구체물을 통해 개념을 이해할 수 있도록 구체적인 예를 든 연산 문제로 구성하였습니다.

가로셈   가로셈을 통한 수에 대한 사고력 기르기

세로셈이 잘못된 방법은 아니지만 연산의 원리는 잊고 받아 올림한 숫자는 어디에 적어야 하는지만을 기억하여 마치 공식처럼 풀게 합니다. 기계적으로 반복하는 연습은 생각없이 연산을 하게 만듭니다. 가로셈을 통해 원리를 생각하고 수를 쪼개고 붙이는 등의 과정에서 키워질 수 있는 수에 대한 사고력도 매우 중요합니다.

곱셈구구   곱셈도 개념 이해를 바탕으로

곱셈구구는 암기에만 초점을 맞추면 부작용이 큽니다. 곱셈은 덧셈을 압축한 것이라는 원리를 이해하며 구구단을 외움으로써 연산을 빨리 할 수 있다는 것을 알게 해야 합니다. 곱셈구구를 외우는 것도 중요하지만 곱셈의 의미를 정확하게 아는 것이 더 중요합니다. 4×3을 할 줄 아는 학생이 두 자리 곱하기 한 자리는 안 배워서 45×3을 못 한다고 말하는 일은 없도록 해야 합니다.

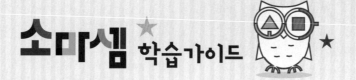

소마샘 학습가이드

K단계 (5, 6, 7세) • 연산을 시작하는 단계

뛰어세기, 거꾸로 뛰어세기를 통해 수의 연속한 성질(linearity)을 이해하고 덧셈, 뺄셈을 공부합니다. 각 권의 호흡은 짧지만 일관성 있는 접근으로 자연스럽게 나선형식 반복학습의 효과가 있도록 하였습니다.

학습대상 : 연산을 시작하는 아이와 한 자리 수 덧셈을 구체물(손가락 등)을 이용하여 해결하는 아이

학습목표 : 수와 연산의 튼튼한 기초 만들기

P단계 (7세, 1학년) • 받아올림이 있는 덧셈, 뺄셈을 배울 준비를 하는 단계

5, 6, 9 뛰어세기를 공부하면서 10을 이용한 더하기, 빼기의 편리함을 알도록 한 후, 가르기와 모으기의 집중학습으로 보수 익히기, 10의 보수를 이용한 덧셈, 뺄셈의 원리를 공부합니다.

학습대상 : 받아올림이 없는 한 자리 수의 덧셈을 할 줄 아는 학생

학습목표 : 받아올림이 있는 연산의 토대 만들기

A단계 (1학년) • 초등학교 1학년 교과과정 연산

받아올림이 있는 한 자리 수의 덧셈, 뺄셈은 연산 전체에 매우 중요한 단계입니다. 원리를 정확하게 알고 A1에서 A4까지 총 4권에서 한 자리 수의 연산을 다양한 과정으로 연습하도록 하였습니다.

학습대상 : 초등학교 1학년 수학교과과정을 공부하는 학생

학습목표 : 10의 보수를 이용한 받아올림이 있는 덧셈, 뺄셈

B단계 (2학년) • 초등학교 2학년 교과과정 연산

두 자리, 세 자리 수의 연산을 다룬 후 곱셈, 나눗셈을 다루는 과정에서 곱셈구구의 암기를 확인하기보다는 곱셈구구를 외우는데 도움이 되고, 곱셈, 나눗셈의 원리를 확장하여 사고할 수 있도록 하는데 초점을 맞추었습니다.

학습대상 : 초등학교 2학년 수학교과과정을 공부하는 학생

학습목표 : 덧셈, 뺄셈의 완성 / 곱셈, 나눗셈의 원리를 정확하게 알고 개념 확장

C단계 (3학년) • 초등학교 3, 4학년 교과과정 연산

B단계까지의 소마샘은 다양한 문제를 통해서 학생들이 즐겁게 연산을 공부하고 원리를 정확하게 알게 하는데 초점을 맞추었다면, C단계는 3학년 과정의 큰 수의 연산과 4학년 과정의 혼합 계산, 괄호를 사용한 식 등, 필수 연산의 연습을 충실히 할 수 있도록 하였습니다.

학습대상 : 초등학교 3, 4학년 수학교과과정을 공부하는 학생

학습목표 : 큰 수의 곱셈과 나눗셈, 혼합 계산

D단계 (4학년) • 초등학교 4, 5학년 교과과정 연산

분모가 같은 분수의 덧셈과 뺄셈, 소수의 덧셈과 뺄셈을 공부하여 초등 4학년 과정 연산을 마무리하고 초등 5학년 연산과정에서 가장 중요한 약수와 배수, 분모가 다른 분수의 덧셈과 뺄셈을 충분히 익힐 수 있도록 하였습니다.

학습대상 : 초등학교 4, 5학년 수학교과과정을 공부하는 학생

학습목표 : 분모가 같은 분수의 덧셈과 뺄셈, 소수의 덧셈과 뺄셈, 분모가 다른 분수의 덧셈과 뺄셈

소마셈 단계별 학습내용

K단계 추천연령 : 5, 6, 7세

단계	K1	K2	K3	K4
권별 주제	10까지의 더하기와 빼기 1	20까지의 더하기와 빼기 1	10까지의 더하기와 빼기 2	20까지의 더하기와 빼기 2
단계	K5	K6	K7	K8
권별 주제	10까지의 더하기와 빼기 3	20까지의 더하기와 빼기 3	20까지의 더하기와 빼기 4	7까지의 가르기와 모으기

P단계 추천연령 : 7세, 1학년

단계	P1	P2	P3	P4
권별 주제	30까지의 더하기와 빼기 5	30까지의 더하기와 빼기 6	30까지의 더하기와 빼기 10	30까지의 더하기와 빼기 9
단계	P5	P6	P7	P8
권별 주제	9까지의 가르기와 모으기	10 가르기와 모으기	10을 이용한 더하기	10을 이용한 빼기

A단계 추천연령 : 1학년

단계	A1	A2	A3	A4
권별 주제	덧셈구구	뺄셈구구	세 수의 덧셈과 뺄셈	□가 있는 덧셈과 뺄셈
단계	A5	A6	A7	A8
권별 주제	(두 자리 수)+(한 자리 수)	(두 자리 수)-(한 자리 수)	두 자리 수의 덧셈과 뺄셈	□가 있는 두 자리 수의 덧셈과 뺄셈

B단계 추천연령 : 2학년

단계	B1	B2	B3	B4
권별 주제	(두 자리 수)+(두 자리 수)	(두 자리 수)-(두 자리 수)	세 자리 수의 덧셈과 뺄셈	덧셈과 뺄셈의 활용
단계	B5	B6	B7	B8
권별 주제	곱셈	곱셈구구	나눗셈	곱셈과 나눗셈의 활용

C단계 추천연령 : 3학년

단계	C1	C2	C3	C4
권별 주제	두 자리 수의 곱셈	두 자리 수의 곱셈과 활용	두 자리 수의 나눗셈	세 자리 수의 나눗셈과 활용
단계	C5	C6	C7	C8
권별 주제	큰 수의 곱셈	큰 수의 나눗셈	혼합 계산	혼합 계산의 활용

D단계 추천연령 : 4학년

단계	D1	D2	D3	D4
권별 주제	분모가 같은 분수의 덧셈과 뺄셈(1)	분모가 같은 분수의 덧셈과 뺄셈(2)	소수의 덧셈과 뺄셈	약수와 배수
단계	D5	D6		
권별 주제	분모가 다른 분수의 덧셈과 뺄셈(1)	분모가 다른 분수의 덧셈과 뺄셈(2)		

구성과 특징

1

수 이야기

생활 속의 수 이야기를 통해 수와 연산의 이해를 돕습니다. 수의 역사나 재미있는 연산 문제를 접하면서 수학이 재미있는 공부가 되도록 합니다.

2

원리 & 연습

구체물 또는 그림을 통해 연산의 원리를 쉽게 이해하고, 원리의 이해를 바탕으로 연산이 익숙해지도록 연습합니다.

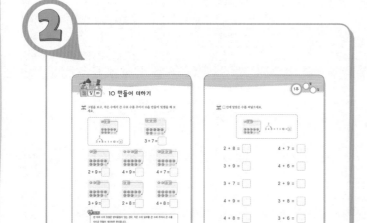

소마의 마술같은 원리셈

사고력 연산

반복적인 연산에서 나아가 배운 원리를 활용하여 확장된 문제를 해결합니다. 어려운 문제를 싣기보다 다양한 생각을 할 수 있는 내용으로 구성하였습니다.

Drill (보충학습)

주차별 주제에 대한 연습이 더 필요한 경우 보충학습을 활용합니다.

 연산과정의 확인이 필수적인 주제는 Drill 의 양을 2배로 담았습니다.

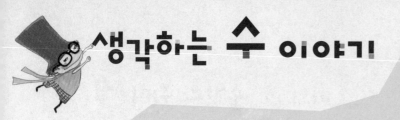
생각하는 수 이야기

매듭으로 나타낸 세 자리 수

먼 옛날 잉카 사람들은 정확한 기록을 남기기 위해 밧줄과 끈의 매듭을 이용하여 수를 나타내었어요. 매듭을 묶은 횟수에 따라 수를 나타내었는데, 이 퀴푸(quipu)라는 매듭 숫자로 계산을 하기도 했답니다.

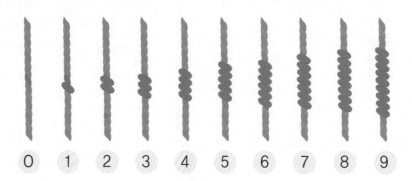

〈퀴푸 매듭을 이용한 수 세기〉

그럼, 세 자리 수는 어떻게 나타냈을까요?
매듭이 묶인 위치에 따라 위에서부터 차례로 백의 자리, 십의 자리, 일의 자리를 나타냈어요.

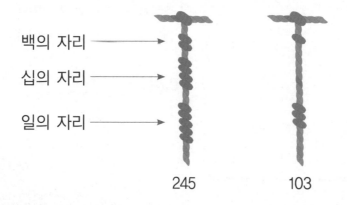

백의 자리 →
십의 자리 →
일의 자리 →

245   103

소마셈 B3 - 1주차

세 자리 수의 덧셈 (1)

받아올림이 없는 덧셈

 그림을 보고 각 자리 숫자끼리 더해서 덧셈을 해 보세요.

263 + 200

$$263 + 200 = \boxed{463}$$

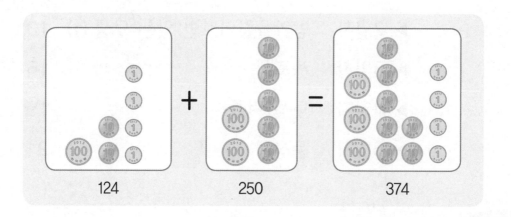

124 + 250

$$124 + 250 = \boxed{}$$

그림을 보고 각 자리 숫자끼리 더해서 덧셈을 해 보세요.

227 + 600 = ☐

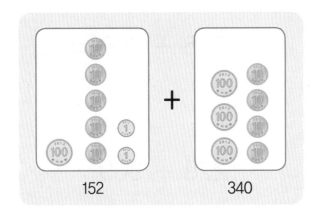

152 + 340 = ☐

348 + 320 = ☐

 □ 안에 알맞은 수를 써넣으세요.

326 + 140 = 466   154 + 200 = ☐

144 + 250 = ☐   256 + 130 = ☐

595 + 300 = ☐   345 + 400 = ☐

427 + 230 = ☐   228 + 360 = ☐

342 + 400 = ☐   462 + 400 = ☐

211 + 350 = ☐   337 + 550 = ☐

받아올림이 1번 있는 덧셈 (1)

🌱 그림을 보고 각 자리 숫자끼리 더해서 빈칸에 알맞은 수를 써넣으세요.

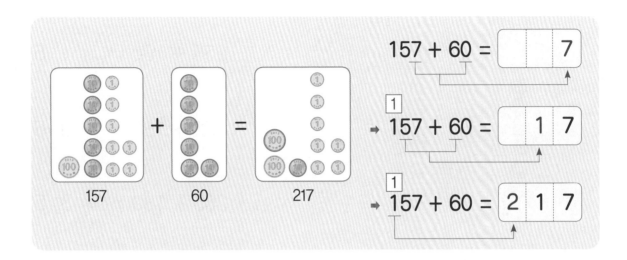

$157 + 60 =$ ☐ ☐ 7

1
➡ $157 + 60 =$ ☐ 1 7

1
➡ $157 + 60 =$ 2 1 7

$264 + 70 =$ ☐ ☐ ☐

➡ $264 + 70 =$ ☐ ☐ 4

1
➡ $264 + 70 =$ ☐ 3 4

$483 + 50 =$ ☐ ☐ ☐

➡ $483 + 50 =$ ☐ ☐ 3

1
➡ $483 + 50 =$ ☐ 3 3

TIP

십의 자리 숫자끼리의 합이 100이거나 10보다 크면 백의 자리로 받아올림합니다. 받아올림이 있는 가로셈에서도 자릿수에 맞춰 받아올림을 표시하여 계산 할 수 있습니다.

🌱 그림을 보고 각 자리 숫자끼리 더해서 빈칸에 알맞은 수를 써넣으세요.

$255 + 180 = $ | | | 5 |

→ $\boxed{1}$ $255 + 180 = $ | | 3 | 5 |

→ $\boxed{1}$ $255 + 180 = $ | 4 | 3 | 5 |

255   +   180   =   435

$187 + 340 = $ | | | |

→ $\boxed{}$ $187 + 340 = $ | | | 7 |

→ $\boxed{1}$ $187 + 340 = $ | | 2 | 7 |

$361 + 260 = $ | | | |

→ $\boxed{}$ $361 + 260 = $ | | | 1 |

→ $\boxed{1}$ $361 + 260 = $ | | 2 | 1 |

□ 안에 알맞은 수를 써넣으세요.

¹
266 + 50 = 316

¹
173 + 250 = 423

154 + 80 =

256 + 170 =

475 + 60 =

172 + 350 =

357 + 70 =

284 + 260 =

282 + 90 =

471 + 450 =

362 + 50 =

188 + 180 =

세로셈

각 자리의 위치를 맞추어 □ 안에 알맞은 수를 써넣으세요.

	백	십	일
	1	4	2
+		9	0
			2

↓
2 + 0 = 2

➡

	백	십	일
1			
	1	4	2
+		9	0
		3	2

↓
4 + 9 = 13

➡

	백	십	일
1			
	1	4	2
+		9	0
	2	3	2

↓
1 + 1 = 2

	백	십	일
	2	5	6
+		6	0
			6

➡

	백	십	일
1			
	2	5	6
+		6	0
		1	6

➡

	백	십	일
1			
	2	5	6
+		6	0

	백	십	일
	1	4	8
+	3	8	0
			8

➡

	백	십	일
1			
	1	4	8
+	3	8	0
		2	8

➡

	백	십	일
1			
	1	4	8
+	3	8	0

월
일

 □ 안에 알맞은 수를 써넣으세요.

```
  1
  1 8 7
+   8 0
─────────
  2 6 7
```

```
  3 5 1
+   6 0
─────────
```

```
  2 6 6
+   7 0
─────────
```

```
  3 5 3
+   6 0
─────────
```

```
  2 4 8
+   8 0
─────────
```

```
  1 8 6
+   3 0
─────────
```

```
  5 7 7
+   5 0
─────────
```

```
  6 4 6
+   7 0
─────────
```

```
  2 9 7
+   8 0
─────────
```

```
  4 7 4
+   4 0
─────────
```

```
  5 5 8
+   9 0
─────────
```

```
  3 7 6
+   3 0
─────────
```

 □ 안에 알맞은 수를 써넣으세요.

```
  1
  1 5 6
+ 3 5 0
───────
  5 0 6
```

```
  2 8 4
+ 1 6 0
───────
```

```
  1 4 6
+ 3 6 0
───────
```

```
  4 3 8
+ 2 9 0
───────
```

```
  2 7 9
+ 2 4 0
───────
```

```
  3 8 5
+ 1 6 0
───────
```

```
  3 7 2
+ 3 4 0
───────
```

```
  4 7 8
+ 2 7 0
───────
```

```
  1 6 7
+ 3 6 0
───────
```

```
  5 5 3
+ 2 8 0
───────
```

```
  4 8 2
+ 1 2 0
───────
```

```
  6 5 2
+ 1 5 0
───────
```

덧셈 퍼즐

4 일 차

 □ 안에 알맞은 수를 써넣으세요.

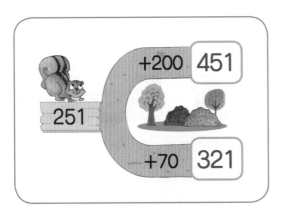

251 +200 → 451
251 +70 → 321

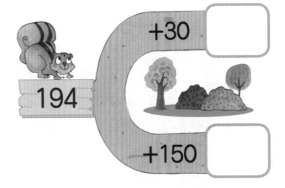

194 +30 →
194 +150 →

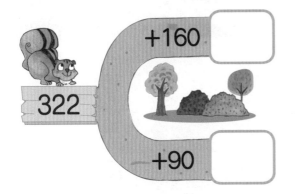

322 +160 →
322 +90 →

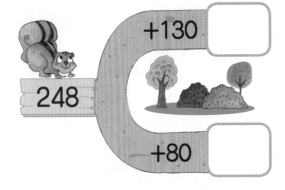

248 +130 →
248 +80 →

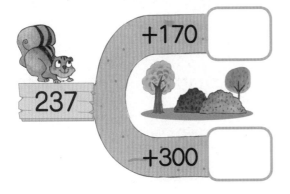

237 +170 →
237 +300 →

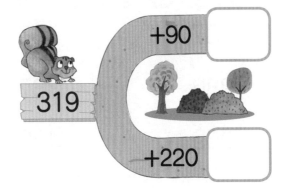

319 +90 →
319 +220 →

 올바른 계산 결과가 되도록 선을 그어 보세요.

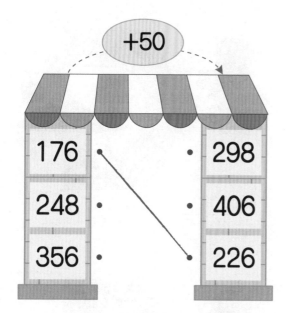

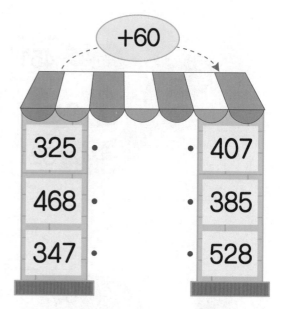

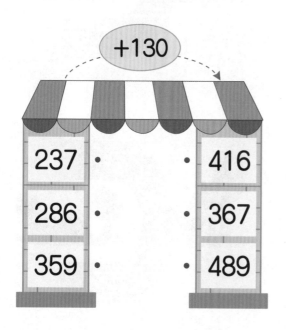

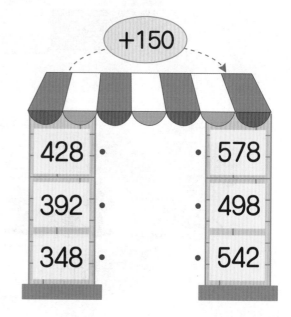

5 일 차 문장제

 이야기를 읽고, 계곡과 해수욕장에 가고 싶은 학생은 모두 몇 명인지 구하세요.

여름 방학이 다가오던 어느 날, 지희네 학교에서는 방학 때 놀러 가고 싶은 장소를 조사했습니다.

여러 장소들이 나왔지만 그 중에서도 계곡과 해수욕장에 가고 싶은 학생들이 많았습니다.

계곡에 가고 싶은 학생은 184명이었고, 해수욕장에 가고 싶은 학생은 270명이었습니다.

지희도 빨리 방학이 되어서 시원한 계곡에 가고 싶었습니다.

계곡과 해수욕장에 가고 싶은 학생은 모두 몇 명일까요?

식 : 184 + 270 = 454 　　　　　　　　　명

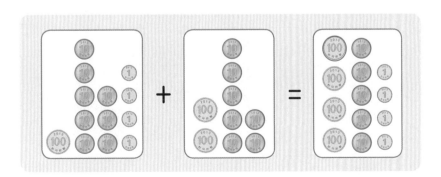

 다음을 읽고 알맞은 덧셈식을 쓰고, 답을 구하세요.

재영이는 구슬을 263개 가지고 있습니다. 호민이는 220개 가지고 있다면 두 사람이 가지고 있는 구슬은 모두 몇 개일까요?

식 : _____

개

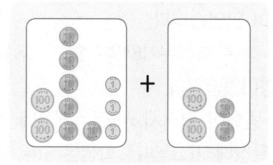

용진이네 아파트에는 남자 352명이 살고 있습니다. 여자는 남자보다 70명 더 있다면 용진이네 아파트에 사는 여자는 모두 몇 명일까요?

식 : _____

명

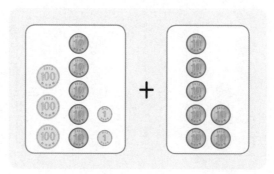

다음을 읽고 알맞은 덧셈식을 쓰고, 답을 구하세요.

민지는 사탕을 118개 가지고 있고, 민석이는 240개 가지고 있습니다. 두 사람이 가지고 있는 사탕은 모두 몇 개일까요?

식 : _____

 개

윤아는 산에서 밤을 146개 주웠습니다. 미리는 윤아보다 80개 더 주웠다면 미리가 주은 밤은 모두 몇 개일까요?

식 : _____

 개

꽃집에 백합이 271송이 있고, 장미는 백합보다 160송이 더 많습니다. 꽃집에 있는 장미는 모두 몇 송이일까요?

식 : _____

 송이

 다음을 읽고 알맞은 덧셈식을 쓰고, 답을 구하세요.

놀이공원에 입장한 남자는 342명, 여자는 420명입니다. 놀이공원에 입장한 사람은 모두 몇 명일까요?

식 : _____ □ 명

서진이는 우표를 158장 모았고, 주영이는 150장을 모았습니다. 두 사람이 모은 우표는 모두 몇 장일까요?

식 : _____ □ 장

농장에 오리가 268마리 있습니다. 닭은 오리보다 60마리 더 많다면 농장에 있는 닭은 모두 몇 마리일까요?

식 : _____ □ 마리

소마셈 B3 - 2주차

세 자리 수의 덧셈 (2)

받아올림이 1번 있는 덧셈 (2)

🌱 그림을 보고 각 자리 숫자끼리 더해서 빈칸에 알맞은 수를 써넣으세요.

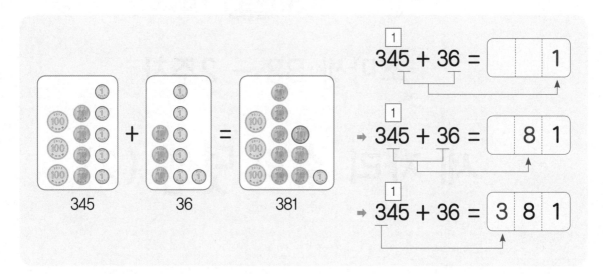

⬜ 318 + 45 = [| |]	⬜ 273 + 52 = [| |]
1 → 318 + 45 = [| | 3]	1 → 273 + 52 = [| | 5]
1 → 318 + 45 = [| 6 | 3]	1 → 273 + 52 = [| 2 | 5]

TIP

일의 자리에서 받아올림이 생기면 십의 자리로, 십의 자리에서 받아올림이 생기면 백의 자리로 받아올림을 표시하여 계산합니다.

그림을 보고 각 자리 숫자끼리 더해서 빈칸에 알맞은 수를 써넣으세요.

255 + 180 = | | | 5

1
→ 255 + 180 = 3 5

1
→ 255 + 180 = 4 3 5

255   180   435

$$354 + 117 = $$

$$273 + 173 = $$

1
→ 354 + 117 = | | 1

→ 273 + 173 = | | 6

1
→ 354 + 117 = 7 1

1
→ 273 + 173 = 4 6

 □ 안에 알맞은 수를 써넣으세요.

$\overset{1}{2}37 + 48 =$ 285

$\overset{1}{1}73 + 175 =$ 348

$129 + 34 =$ ☐

$168 + 213 =$ ☐

$281 + 52 =$ ☐

$192 + 341 =$ ☐

$266 + 73 =$ ☐

$236 + 225 =$ ☐

$317 + 46 =$ ☐

$354 + 482 =$ ☐

$438 + 58 =$ ☐

$417 + 136 =$ ☐

받아올림이 2번 있는 덧셈

 그림을 보고 각 자리 숫자끼리 더해서 빈칸에 알맞은 수를 써넣으세요.

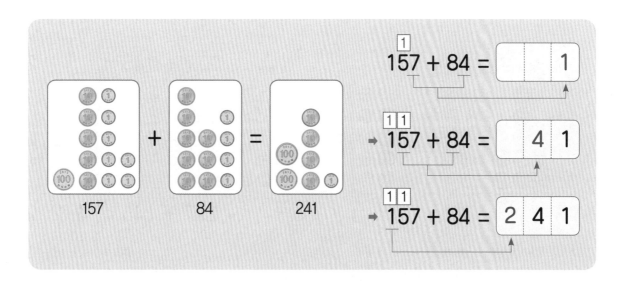

```
157 + 84 = [ | | 1 ]    1

→ 157 + 84 = [ | 4 | 1 ]    1 1

→ 157 + 84 = [ 2 | 4 | 1 ]    1 1
```

```
268 + 76 = [ | | ]    □

→ 268 + 76 = [ | | 4 ]    □ 1

→ 268 + 76 = [ | 4 | 4 ]    1 1
```

```
375 + 48 = [ | | ]    □

→ 375 + 48 = [ | | 3 ]    □ 1

→ 375 + 48 = [ | 2 | 3 ]    1 1
```

TIP

각 자리 숫자끼리의 합이 10이거나 10보다 크면 바로 윗자리로 받아올림합니다.

🌱 그림을 보고 각 자리 숫자끼리 더해서 빈칸에 알맞은 수를 써넣으세요.

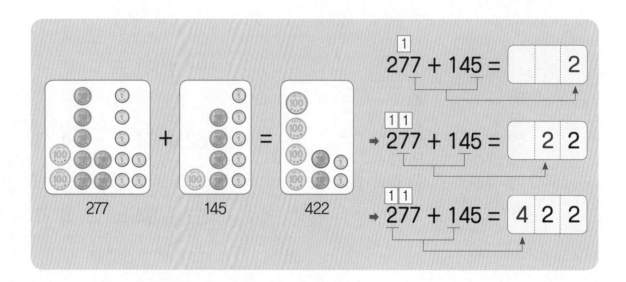

$$\boxed{1}$$
$$277 + 145 = \boxed{2}$$

➡ $$\boxed{1}\boxed{1}$$
$$277 + 145 = \boxed{22}$$

➡ $$\boxed{1}\boxed{1}$$
$$277 + 145 = \boxed{422}$$

$$\boxed{}$$
$$194 + 158 = \boxed{}$$

$$\boxed{}$$
$$268 + 157 = \boxed{}$$

➡ $$\boxed{}\boxed{1}$$
$$194 + 158 = \boxed{2}$$

➡ $$\boxed{}\boxed{1}$$
$$268 + 157 = \boxed{5}$$

➡ $$\boxed{1}\boxed{1}$$
$$194 + 158 = \boxed{52}$$

➡ $$\boxed{1}\boxed{1}$$
$$268 + 157 = \boxed{25}$$

□ 안에 알맞은 수를 써넣으세요.

1 1
276 + 54 = 330

1 1
389 + 175 = 564

149 + 64 =

186 + 135 =

376 + 46 =

243 + 189 =

237 + 85 =

127 + 186 =

348 + 73 =

254 + 277 =

448 + 65 =

157 + 363 =

세로셈

각 자리의 위치를 맞추어 □ 안에 알맞은 수를 써넣으세요.

백	십	일
	1	
3	5	4
+ 1	6	8
		2

→ 4 + 8 = 12

백	십	일
1	1	
3	5	4
+ 1	6	8
	2	2

→ 1 + 5 + 6 = 12

백	십	일
1	1	
3	5	4
+ 1	6	8
5	2	2

→ 1 + 3 + 1 = 5

백	십	일
	1	
2	6	7
+	7	5
		2

→

백	십	일
1	1	
2	6	7
+	7	5
	4	2

→

백	십	일
1	1	
2	6	7
+	7	5

백	십	일
	1	
1	7	6
+ 1	4	9
		5

→

백	십	일
1	1	
1	7	6
+ 1	4	9
	2	5

→

백	십	일
1	1	
1	7	6
+ 1	4	9

□ 안에 알맞은 수를 써넣으세요.

$$
\begin{array}{r}
{}^{1}\,{}^{1} \\
3\ 4\ 9 \\
+\ \ 6\ 4 \\
\hline
4\ 1\ 3
\end{array}
\qquad
\begin{array}{r}
2\ 8\ 6 \\
+\ \ 6\ 5 \\
\hline

\end{array}
\qquad
\begin{array}{r}
3\ 5\ 6 \\
+\ \ 5\ 7 \\
\hline

\end{array}
$$

$$
\begin{array}{r}
1\ 8\ 7 \\
+\ \ 6\ 3 \\
\hline

\end{array}
\qquad
\begin{array}{r}
3\ 5\ 7 \\
+\ \ 8\ 5 \\
\hline

\end{array}
\qquad
\begin{array}{r}
4\ 2\ 6 \\
+\ \ 8\ 4 \\
\hline

\end{array}
$$

$$
\begin{array}{r}
4\ 3\ 8 \\
+\ \ 9\ 4 \\
\hline

\end{array}
\qquad
\begin{array}{r}
5\ 6\ 4 \\
+\ \ 7\ 7 \\
\hline

\end{array}
\qquad
\begin{array}{r}
4\ 4\ 6 \\
+\ \ 7\ 5 \\
\hline

\end{array}
$$

$$
\begin{array}{r}
2\ 8\ 9 \\
+\ \ 3\ 3 \\
\hline

\end{array}
\qquad
\begin{array}{r}
4\ 7\ 5 \\
+\ \ 5\ 5 \\
\hline

\end{array}
\qquad
\begin{array}{r}
5\ 6\ 7 \\
+\ \ 6\ 7 \\
\hline

\end{array}
$$

2주

 □ 안에 알맞은 수를 써넣으세요.

```
  1 1
    1 8 7
  + 3 5 5
  ─────────
    5 4 2
```

```
    2 7 5
  + 1 6 6
  ─────────

```

```
    2 6 4
  + 2 9 6
  ─────────

```

```
    4 2 8
  + 3 8 3
  ─────────

```

```
    1 6 9
  + 6 4 1
  ─────────

```

```
    3 5 7
  + 1 6 6
  ─────────

```

```
    2 8 2
  + 1 9 9
  ─────────

```

```
    3 4 8
  + 2 7 7
  ─────────

```

```
    5 6 7
  + 2 6 4
  ─────────

```

```
    4 6 4
  + 1 8 8
  ─────────

```

```
    6 7 3
  + 1 4 9
  ─────────

```

```
    5 5 7
  + 2 8 3
  ─────────

```

덧셈 퍼즐

 □ 안에 알맞은 수를 써넣으세요.

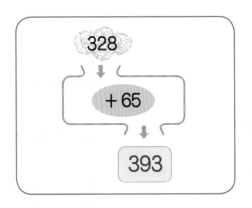

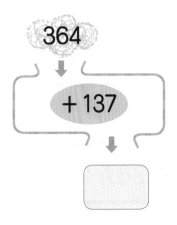

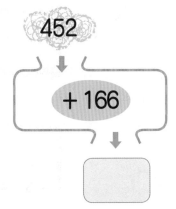

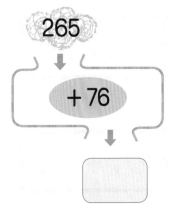

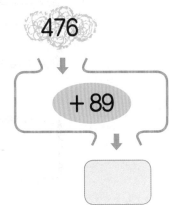

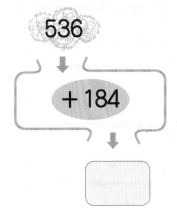

🌱 올바른 계산 결과를 찾아 선을 그어 보세요.

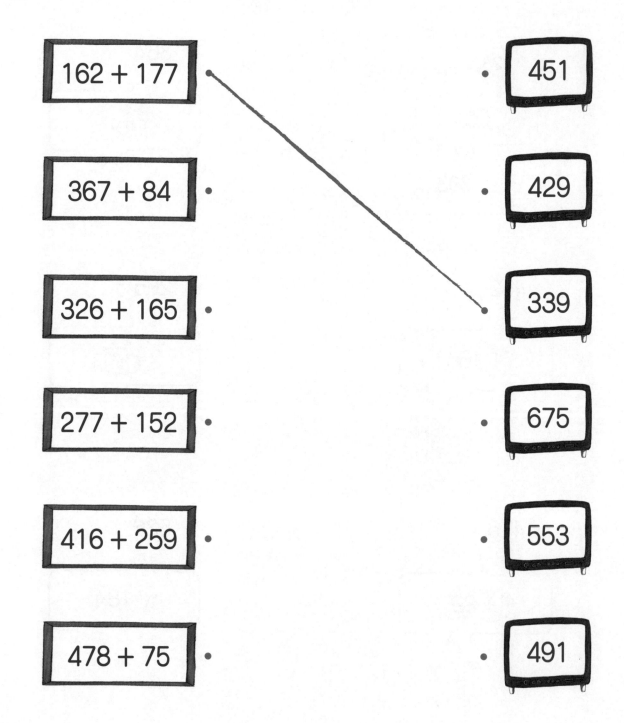

162 + 177		451
367 + 84		429
326 + 165		339
277 + 152		675
416 + 259		553
478 + 75		491

5 일 차 문장제

 이야기를 읽고, 민수가 집에서 학교를 지나 도서관까지 몇 걸음이면 갈 수 있는지 구하세요.

민수네 집과 학교는 가까운 거리에 있습니다.

"우리 집에서 학교까지 몇 걸음이면 갈 수 있을까?"

어느 날, 궁금증이 생긴 민수는 학교까지 몇 걸음이면 갈 수 있는지 세어보기로 했습니다.

민수 걸음으로 집에서 학교까지 362걸음이었습니다.

학교에서 집으로 돌아오는 길에 있는 도서관까지도 걸음을 세어 보았더니 155걸음이었습니다.

민수가 집에서 학교를 지나 도서관까지 모두 몇 걸음이면 갈 수 있을까요?

식 :

 걸음

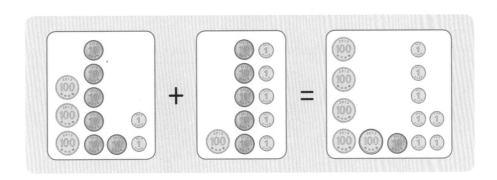

 다음을 읽고 알맞은 덧셈식을 쓰고, 답을 구하세요.

지선이는 지난주에 과학책을 287쪽 읽었습니다. 이번 주에는 지난주보다 52쪽을 더 읽었다면 지선이가 이번 주에 읽은 과학책은 모두 몇 쪽일까요?

식 : _____   ☐ 쪽

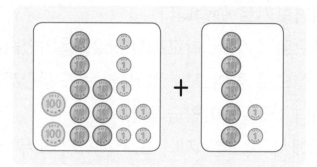

용범이네 학교의 2학년 남학생의 수는 254명이고, 여학생의 수는 258명입니다. 용범이네 학교 2학년 전체 학생 수는 몇 명일까요?

식 : _____   ☐ 명

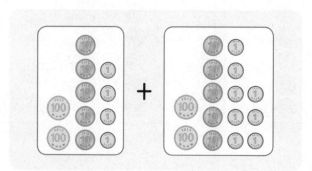

다음을 읽고 알맞은 덧셈식을 쓰고, 답을 구하세요.

현정이는 칭찬스티커 175개를 모았습니다. 용주는 현정이보다 73개 더 모았다면 용주가 모은 칭찬스티커는 모두 몇 개일까요?

식 : _____ ☐ 개

채영이는 줄넘기를 264번 넘었고, 동생 수정이는 156번 넘었습니다. 두 사람이 줄넘기를 넘은 횟수는 모두 몇 번일까요?

식 : _____ ☐ 번

주차장에 차가 225대 있었는데, 한 시간 사이 182대가 더 들어왔습니다. 지금 주차장에 있는 차는 모두 몇 대일까요?

식 : _____ ☐ 대

 다음을 읽고 알맞은 덧셈식을 쓰고, 답을 구하세요.

삼촌 댁 과수원에서 지은이가 포도를 368개 땄습니다. 동생은 86개 땄다면 두 사람이 딴 포도는 모두 몇 개일까요?

식 : _____

개

사과나무 164그루와 배나무 255그루가 있습니다. 사과나무와 배나무는 모두 몇 그루일까요?

식 : _____

그루

장난감 공장에서 로봇을 436개, 인형을 146개 만들었습니다. 장난감 공장에서 만든 로봇과 인형은 모두 몇 개일까요?

식 : _____

개

소마셈 B3 - 3주차

세 자리 수의 뺄셈 (1)

받아내림이 없는 뺄셈

🌱 그림을 보고 각 자리 숫자끼리 빼서 뺄셈을 해 보세요.

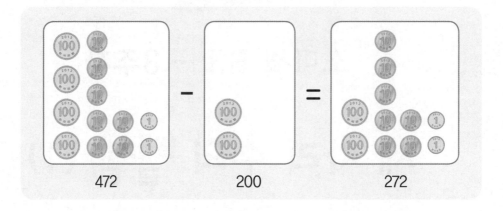

472 - 200 = [272]

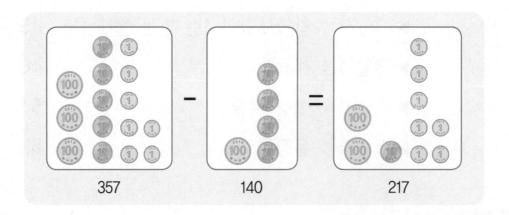

357 - 140 = [ ]

🌱 그림을 보고 각 자리 숫자끼리 빼서 뺄셈을 해 보세요.

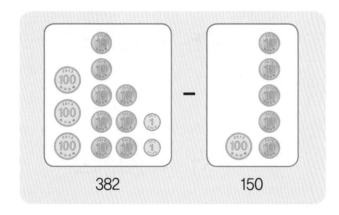

$438 - 300 = \boxed{}$

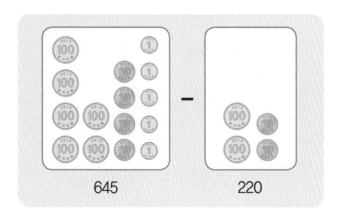

$382 - 150 = \boxed{}$

$645 - 220 = \boxed{}$

□ 안에 알맞은 수를 써넣으세요.

556 - 310 = 246

425 - 200 =

353 - 150 =

568 - 400 =

483 - 120 =

375 - 160 =

426 - 300 =

651 - 240 =

582 - 400 =

594 - 350 =

351 - 150 =

487 - 370 =

받아내림이 1번 있는 뺄셈 (1)

 그림을 보고 각 자리 숫자끼리 빼서 빈칸에 알맞은 수를 써넣으세요.

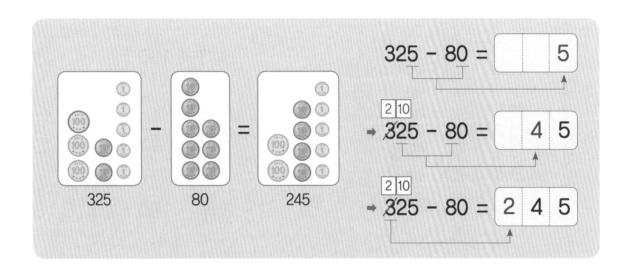

325 − 80 = [ ][ ][5]

2 | 10
→ 325 − 80 = [ ][4][5]

2 | 10
→ 325 − 80 = [2][4][5]

325   80   245

---

246 − 80 = [ ][ ][ ]

→ 246 − 80 = [ ][ ][6]

1 | 10
→ 246 − 80 = [ ][6][6]

429 − 60 = [ ][ ][ ]

→ 429 − 60 = [ ][ ][9]

3 | 10
→ 429 − 60 = [ ][6][9]

TIP

십의 자리 숫자끼리 뺄 수 없으면 백의 자리에서 받아내림합니다. 받아내림이 있는 가로셈
에서도 자릿수에 맞춰 받아내림을 표시하여 계산할 수 있습니다.

그림을 보고 각 자리 숫자끼리 빼서 빈칸에 알맞은 수를 써넣으세요.

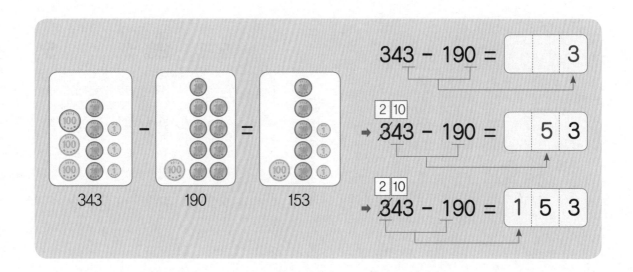

$$328 - 160 = \boxed{\,\vert\,\,\vert\,}$$

→ $328 - 160 = \boxed{\,\vert\,\,\vert\,8}$

→ $\overset{2\ \vert\ 10}{328} - 160 = \boxed{\,\vert\,6\,\vert\,8}$

$$526 - 180 = \boxed{\,\vert\,\,\vert\,}$$

→ $526 - 180 = \boxed{\,\vert\,\,\vert\,6}$

→ $\overset{4\ \vert\ 10}{526} - 180 = \boxed{\,\vert\,4\,\vert\,6}$

□ 안에 알맞은 수를 써넣으세요.

1 10
$\cancel{2}14 - 50 =$ 164

2 10
$\cancel{3}37 - 170 =$ 167

$345 - 60 =$ ☐

$326 - 140 =$ ☐

$421 - 50 =$ ☐

$353 - 180 =$ ☐

$342 - 80 =$ ☐

$439 - 250 =$ ☐

$533 - 70 =$ ☐

$524 - 280 =$ ☐

$426 - 40 =$ ☐

$455 - 170 =$ ☐

세로셈

각 자리의 위치를 맞추어 □ 안에 알맞은 수를 써넣으세요.

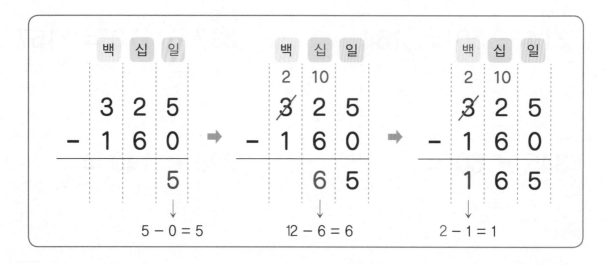

백	십	일
3	2	5
- 1	6	0
		5

$5 - 0 = 5$

백	십	일
2	10	
̶3̶	2	5
- 1	6	0
	6	5

$12 - 6 = 6$

백	십	일
2	10	
̶3̶	2	5
- 1	6	0
1	6	5

$2 - 1 = 1$

백	십	일
2	5	3
-	8	0
		3

백	십	일
1	10	
̶2̶	5	3
-	8	0
	7	3

백	십	일
1	10	
̶2̶	5	3
-	8	0

백	십	일
4	3	4
- 2	5	0
		4

백	십	일
3	10	
̶4̶	3	4
- 2	5	0
	8	4

백	십	일
3	10	
̶4̶	3	4
- 2	5	0

□ 안에 알맞은 수를 써넣으세요.

```
    2 10
    3̸ 2 9
  -   8 0
  ─────────
    2 4 9
```

```
    2 3 6
  -   7 0
  ─────────
```

```
    3 5 1
  -   7 0
  ─────────
```

```
    4 2 7
  -   4 0
  ─────────
```

```
    1 4 6
  -   5 0
  ─────────
```

```
    3 3 6
  -   8 0
  ─────────
```

```
    3 2 8
  -   5 0
  ─────────
```

```
    4 5 4
  -   7 0
  ─────────
```

```
    3 7 7
  -   9 0
  ─────────
```

```
    2 2 9
  -   4 0
  ─────────
```

```
    3 2 5
  -   5 0
  ─────────
```

```
    4 3 2
  -   6 0
  ─────────
```

 □ 안에 알맞은 수를 써넣으세요.

```
    2  10
    3̶ 2 4
  -  2 5 0
  ─────────
        7 4
```

```
    3 7 2
  - 1 8 0
  ─────────
```

```
    4 4 6
  - 1 7 0
  ─────────
```

```
    4 2 5
  - 1 5 0
  ─────────
```

```
    3 3 2
  - 1 6 0
  ─────────
```

```
    5 2 4
  - 2 5 0
  ─────────
```

```
    5 3 1
  - 2 4 0
  ─────────
```

```
    4 4 5
  - 2 6 0
  ─────────
```

```
    6 6 5
  - 2 8 0
  ─────────
```

```
    5 2 4
  - 1 8 0
  ─────────
```

```
    6 7 2
  - 1 9 0
  ─────────
```

```
    5 3 3
  - 2 4 0
  ─────────
```

뺄셈 퍼즐

 □ 안에 알맞은 수를 써넣으세요.

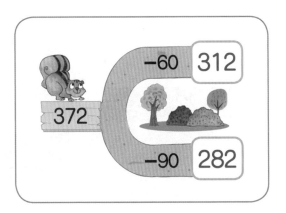

372 −60 312
−90 282

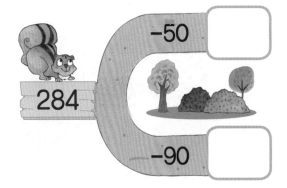

284 −50
−90

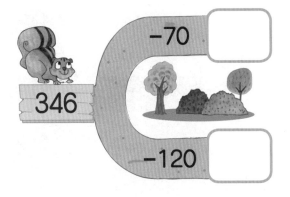

346 −70
−120

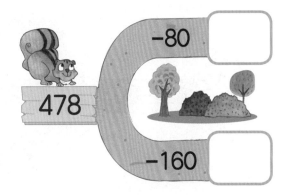

478 −80
−160

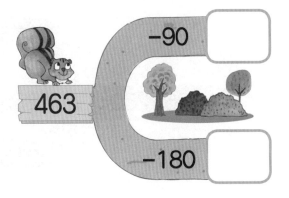

463 −90
−180

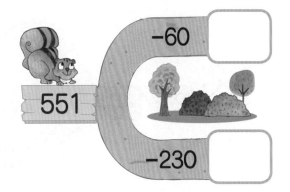

551 −60
−230

🌱 올바른 계산 결과가 되도록 길을 그려 보세요.

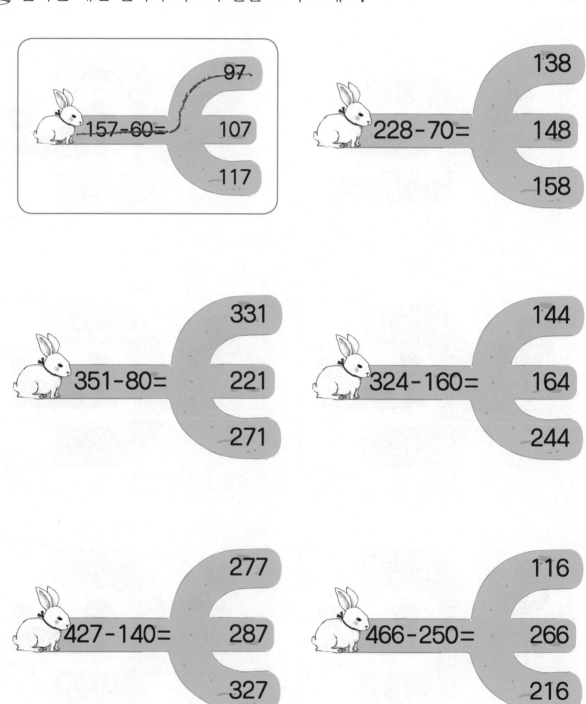

157-60= 97 · **107** · 117

228-70= 138 · 148 · 158

351-80= 331 · 221 · 271

324-160= 144 · 164 · 244

427-140= 277 · 287 · 327

466-250= 116 · 266 · 216

5 일 차 문장제

 이야기를 읽고, 동준이가 책을 모두 읽으려면 이번 주에는 몇 쪽을 더 읽어야 하는지 구하세요.

동준이는 지난주부터 과학책을 읽기 시작했습니다. 호기심이 많은 동준이를 위해서 엄마가 특별히 선물해 주신 책입니다.

동준이는 2주 안에 책을 모두 읽기로 마음먹었습니다.

책은 모두 234쪽까지였는데, 너무 재미있어서 지난주에는 160쪽을 단숨에 읽었습니다.

동준이가 책을 모두 읽으려면 이번 주에는 몇 쪽을 더 읽어야 할까요?

식 : 234 - 160 = 74

 쪽

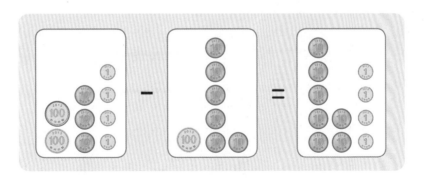

 다음을 읽고 알맞은 뺄셈식을 쓰고, 답을 구하세요.

도서관에서 348명의 학생이 책을 보고 있습니다. 한 시간 후 60명이 집으로 돌아갔다면 도서관에 남아 책을 보는 학생은 몇 명일까요?

식 :

명

_____

현수는 구슬 237개를 가지고 있습니다. 주성이는 현수보다 140개를 적게 가지고 있다면 주성이가 가진 구슬은 몇 개일까요?

식 :

개

_____

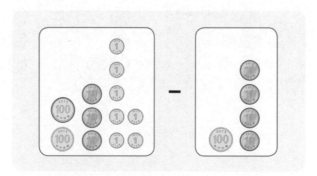

다음을 읽고 알맞은 **뺄셈식**을 쓰고, 답을 구하세요.

재민이네 학교의 전체 학생 수는 635명입니다. 그중 남학생이 300명이라면 여학생은 몇 명일까요?

식 : _____

☐ 명

영화관에 영화를 보러 온 사람 중 여자는 375명, 남자는 260명입니다. 여자가 남자보다 몇 명 더 많을까요?

식 : _____

☐ 명

윤희는 연필 한 자루와 지우개 한 개를 사고 570원을 냈습니다. 지우개 한 개가 280원이라면 연필 한 자루는 얼마일까요?

식 : _____

☐ 원

 다음을 읽고 알맞은 뺄셈식을 쓰고, 답을 구하세요.

과일가게에서 어제와 오늘 사과를 367개 팔았습니다. 그중 170개가 어제 판 사과의 개수라면 오늘은 몇 개를 팔았을까요?

식 : _____   개

수민이는 구슬을 284개 가지고 있고, 희진이는 90개 가지고 있습니다. 수민이는 희진이보다 구슬을 몇 개 더 가지고 있을까요?

식 : _____   개

자동차 공장에서 트럭을 436대 만들었습니다. 승용차는 트럭보다 250대 적게 만들었다면 승용차는 몇 대 만들었을까요?

식 : _____   대

소마셈 B3 – 4주차

세 자리 수의 뺄셈 (2)

받아내림이 1번 있는 뺄셈 (2)

 그림을 보고 각 자리 숫자끼리 빼서 빈칸에 알맞은 수를 써넣으세요.

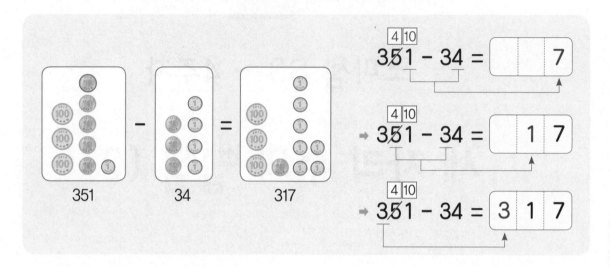

351 − 34 = [ ] [ ] 7

→ 351 − 34 = [1] 7

→ 351 − 34 = 3 1 7

---

286 − 48 = [ ] [ ] [ ]

→ 286 − 48 = [ ] 8

→ 286 − 48 = [3] 8

278 − 95 = [ ] [ ] [ ]

→ 278 − 95 = [ ] 3

→ 278 − 95 = [8] 3

TIP

일의 자리 숫자끼리 뺄 수 없으면 십의 자리에서, 십의 자리 숫자끼리 뺄 수 없으면 백의 자리에서 받아내림을 표시하여 계산합니다.

그림을 보고 각 자리 숫자끼리 빼서 빈칸에 알맞은 수를 써넣으세요.

$3 \cancel{10}$
$343 - 125 = \boxed{\,|\,\,|\,8}$

$3 \cancel{10}$
→ $343 - 125 = \boxed{\,|\,1\,|\,8}$

$3 \cancel{10}$
→ $343 - 125 = \boxed{2\,|\,1\,|\,8}$

$\boxed{|}$
$382 - 117 = \boxed{\,|\,\,|\,}$

$549 - 276 = \boxed{\,|\,\,|\,}$

$7 \cancel{10}$
→ $382 - 117 = \boxed{\,|\,\,|\,5}$

$\boxed{|}$
→ $549 - 276 = \boxed{\,|\,\,|\,3}$

$7 \cancel{10}$
→ $382 - 117 = \boxed{\,|\,6\,|\,5}$

$4 \cancel{10}$
→ $549 - 276 = \boxed{\,|\,7\,|\,3}$

 □ 안에 알맞은 수를 써넣으세요.

$\overset{6\ 10}{\cancel{3}7}2$ − 56 = $\boxed{316}$　　　　$\overset{2\ 10}{\cancel{3}28}$ − 176 = $\boxed{152}$

285 − 68 = ☐　　　　426 − 153 = ☐

391 − 54 = ☐　　　　393 − 187 = ☐

446 − 83 = ☐　　　　471 − 235 = ☐

438 − 73 = ☐　　　　474 − 294 = ☐

526 − 45 = ☐　　　　555 − 183 = ☐

받아내림이 2번 있는 뺄셈

 그림을 보고 각 자리 숫자끼리 빼서 빈칸에 알맞은 수를 써넣으세요.

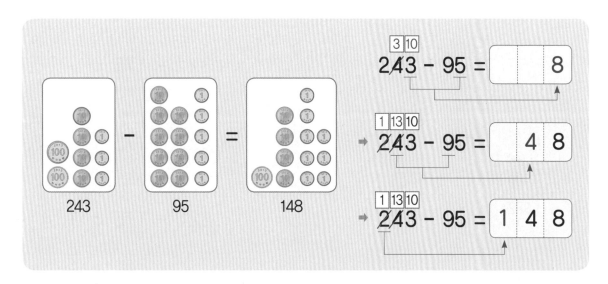

2̸4̸3 - 95 = 　　8

→ 2̸4̸3 - 95 = 　4 8

→ 2̸4̸3 - 95 = 1 4 8

2̸6̸5 - 79 = 　　　

→ 2̸6̸5 - 79 = 　　6

→ 2̸6̸5 - 79 = 　8 6

4̸2̸4 - 56 = 　　　

→ 4̸2̸4 - 56 = 　　8

→ 4̸2̸4 - 56 = 　6 8

각 자리 숫자끼리 뺄 수 없으면 바로 윗자리에서 받아내림합니다.

🌱 그림을 보고 각 자리 숫자끼리 빼서 빈칸에 알맞은 수를 써넣으세요.

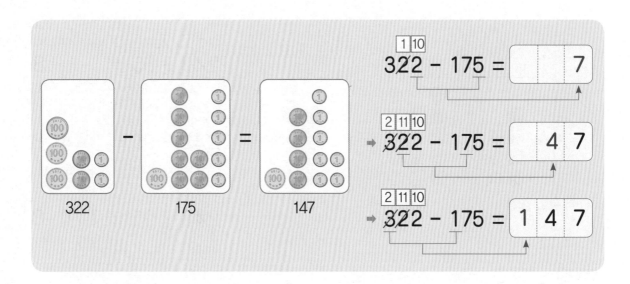

345 - 169 = [ ][ ][ ]

524 - 285 = [ ][ ][ ]

→ 3̸45 - 169 = [ ][ ][6]   10

→ 5̸24 - 285 = [ ][ ][9]   10

→ 3̸45 - 169 = [ ][7][6]   2 13 10

→ 5̸24 - 285 = [ ][3][9]   4 11 10

□ 안에 알맞은 수를 써넣으세요.

2 16 10
3̸7̸4 - 96 = 278

4 12 10
5̸3̸4 - 287 = 247

235 - 76 =

335 - 166 =

345 - 58 =

456 - 179 =

445 - 76 =

424 - 258 =

272 - 84 =

437 - 179 =

437 - 59 =

357 - 168 =

 각 자리의 위치를 맞추어 □ 안에 알맞은 수를 써넣으세요.

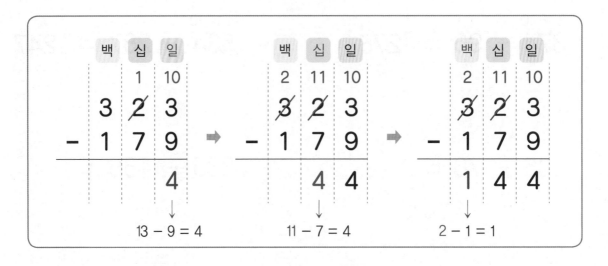

백	십	일
3	10
3	4̶	5
−	7	8
		7

➡

백	십	일
2	13	10
3̶	4̶	5
−	7	8
	6	7

➡

백	십	일
2	13	10
3̶	4̶	5
−	7	8
[		]

백	십	일
2	10
5	3̶	6
−	1	5	9
		7

➡

백	십	일
4	12	10
5̶	3̶	6
−	1	5	9
	7	7

➡

백	십	일
4	12	10
5̶	3̶	6
−	1	5	9
[		]

□ 안에 알맞은 수를 써넣으세요.

```
   1 11 10
   2̷ 2̷ 6
 -   4 8
 ─────────
   1 7 8
```

```
   2 5 5
 -   6 8
 ─────────
```

```
   3 6 1
 -   7 7
 ─────────
```

```
   4 2 3
 -   4 6
 ─────────
```

```
   3 2 6
 -   5 7
 ─────────
```

```
   2 5 3
 -   6 5
 ─────────
```

```
   3 4 4
 -   7 9
 ─────────
```

```
   2 2 5
 -   8 6
 ─────────
```

```
   4 3 7
 -   5 8
 ─────────
```

```
   3 1 4
 -   8 9
 ─────────
```

```
   3 2 3
 -   7 8
 ─────────
```

```
   4 2 6
 -   4 9
 ─────────
```

 □ 안에 알맞은 수를 써넣으세요.

```
    3 11 10
    3̷ 1̷1̷ 10          3 5 7          4 3 4
    4̷ 2̷ 4         - 1 8 9        - 1 7 7
  - 1 7 6         ┌─────┐        ┌─────┐
  ┌─────────┐    └─────┘        └─────┘
  │ 2 4 8 │
  └─────────┘
```

```
    3 3 7          4 2 1          5 2 3
  - 1 5 9        - 1 6 4        - 2 5 8
  ┌─────┐        ┌─────┐        ┌─────┐
  └─────┘        └─────┘        └─────┘
```

```
    5 3 1          4 4 3          3 4 5
  - 1 7 9        - 2 6 8        - 1 7 6
  ┌─────┐        ┌─────┐        ┌─────┐
  └─────┘        └─────┘        └─────┘
```

```
    3 2 3          5 7 3          6 3 1
  - 1 7 8        - 1 8 4        - 2 4 8
  ┌─────┐        ┌─────┐        ┌─────┐
  └─────┘        └─────┘        └─────┘
```

빼셈 퍼즐

 □ 안에 알맞은 수를 써넣으세요.

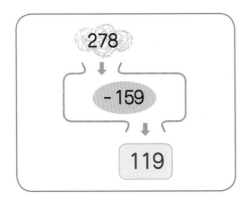

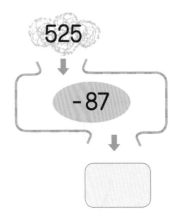

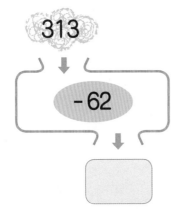

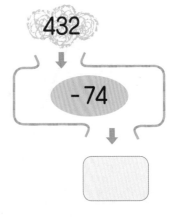

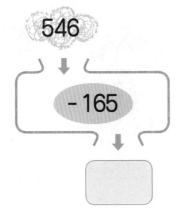

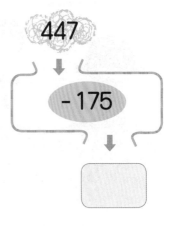

올바른 계산 결과를 찾아 선을 그어 보세요.

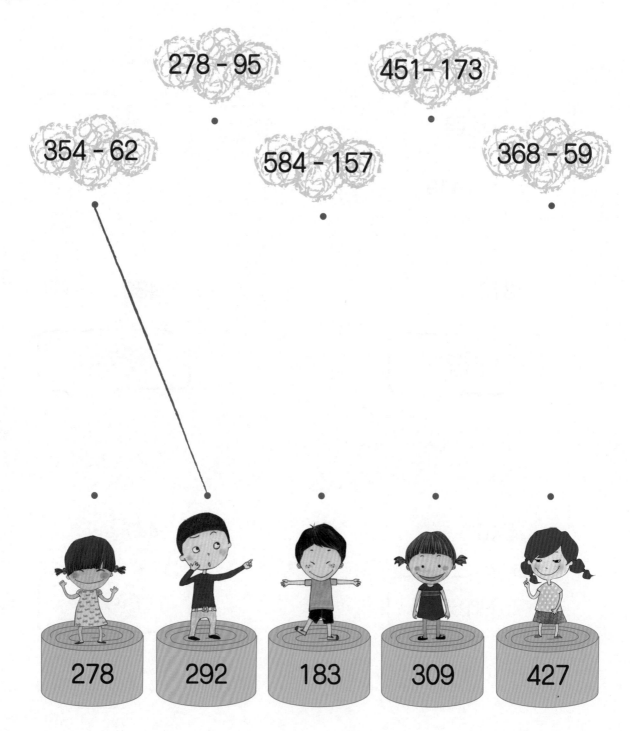

278 – 95

451 – 173

354 – 62

584 – 157

368 – 59

278 292 183 309 427

문장제

 이야기를 읽고, 전시회장을 찾은 남자는 몇 명인지 구하세요.

오늘은 그림 전시회가 열리는 날입니다. 승경이와 친구들이 그동안 미술학원에서 그린 그림들을 뽐낼 수 있는 자리입니다.

초대를 받은 많은 사람들이 전시회장을 방문했습니다.

며칠 동안 계속된 전시회가 끝나고, 전시회장을 찾은 사람들의 수를 세어 보았습니다.

모두 316명이 왔는데, 그중 234명이 여자였습니다.

전시회장을 찾은 남자는 몇 명일까요?

식 :   명

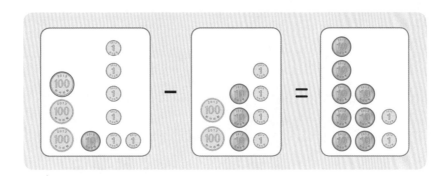

 다음을 읽고 알맞은 **뺄셈식**을 쓰고, 답을 구하세요.

학교 강당에 학생들이 466명 모여 있습니다. 그중 여학생이 158명이라면 남학생은 모두 몇 명일까요?

식 : _____

명

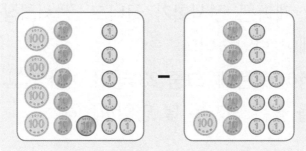

과수원에서 딸기 372개를 수확했습니다. 그중 175개를 이웃들에게 나누어 주었다면 남은 딸기는 몇 개일까요?

식 : _____

개

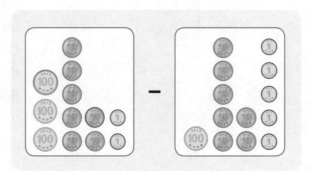

다음을 읽고 알맞은 뺄셈식을 쓰고, 답을 구하세요.

재환이는 사탕 375개를 가지고 있습니다. 슬기에게 88개를 주었다면 재환이에게 남은 사탕은 몇 개일까요?

식 :

개

지하철에 426명이 타고 있습니다. 다음 정거장에서 255명이 내렸다면 지하철에 남아 있는 사람은 몇 명일까요?

식 :

명

다희는 감을 어제 329개 땄고, 오늘은 어제보다 156개 적게 땄습니다. 다희가 오늘 딴 감은 몇 개일까요?

식 :

개

 다음을 읽고 알맞은 뺄셈식을 쓰고, 답을 구하세요.

희철이가 우표 322장을 모았습니다. 태연이는 희철이가 모은 우표보다 75장 적게 모았다면 태연이가 모은 우표는 몇 장일까요?

식 : _____   장

서현이는 종이학을 451개 접었고, 택연이는 서현이보다 177개 적게 접었습니다. 택연이가 접은 종이학은 몇 개일까요?

식 : _____   개

지혜네 학교의 전체 학생 수는 587명입니다. 그중 여학생이 249명이라면 남학생은 몇 명일까요?

식 : _____   명

Drill

세 자리 수의 덧셈 (1)

□ 안에 알맞은 수를 써넣으세요.

```
    2 3 7          3 2 6          2 6 7
  + 4 0 0        + 2 5 0        +   7 0
  ┌─────┐        ┌─────┐        ┌─────┐
  │     │        │     │        │     │
  └─────┘        └─────┘        └─────┘


    4 5 5          5 1 5          3 2 7
  + 1 8 0        +   6 0        + 1 9 0
  ┌─────┐        ┌─────┐        ┌─────┐
  │     │        │     │        │     │
  └─────┘        └─────┘        └─────┘


    4 5 9          3 6 8          2 8 8
  +   7 0        + 1 3 0        + 2 7 0
  ┌─────┐        ┌─────┐        ┌─────┐
  │     │        │     │        │     │
  └─────┘        └─────┘        └─────┘


    3 8 6          6 7 6          1 8 3
  +   6 0        + 2 0 0        + 4 3 0
  ┌─────┐        ┌─────┐        ┌─────┐
  │     │        │     │        │     │
  └─────┘        └─────┘        └─────┘
```

□ 안에 알맞은 수를 써넣으세요.

```
    2 7 7          4 5 6          3 4 5
  +   9 0        +   6 0        + 1 6 0
  [        ]      [        ]      [        ]


    3 8 7          6 1 8          6 6 4
  + 2 5 0        +   8 0        +   5 0
  [        ]      [        ]      [        ]


    1 9 8          2 4 2          2 4 1
  + 3 0 0        + 3 7 0        +   9 0
  [        ]      [        ]      [        ]


    3 4 2          5 7 3          4 7 4
  +   8 0        + 1 6 0        +   9 0
  [        ]      [        ]      [        ]
```

□ 안에 알맞은 수를 써넣으세요.

```
    6 1 8              4 2 8              2 5 1
  +   6 0            + 1 9 0            + 2 7 0
  ┌─────────┐        ┌─────────┐        ┌─────────┐
  └─────────┘        └─────────┘        └─────────┘


    4 3 4              2 2 8              3 4 5
  +   6 0            + 1 8 0            +   7 0
  ┌─────────┐        ┌─────────┐        ┌─────────┐
  └─────────┘        └─────────┘        └─────────┘


    3 5 4              4 9 7              1 8 6
  +   5 0            +   6 0            + 2 4 0
  ┌─────────┐        ┌─────────┐        ┌─────────┐
  └─────────┘        └─────────┘        └─────────┘


    4 5 3              5 1 2              2 4 7
  + 1 3 0            +   9 0            + 2 9 0
  ┌─────────┐        ┌─────────┐        ┌─────────┐
  └─────────┘        └─────────┘        └─────────┘
```

□ 안에 알맞은 수를 써넣으세요.

```
    3 3 7          2 4 5          3 9 2
  + 1 7 0        +   4 0        + 1 5 0
  ┌───────┐      ┌───────┐      ┌───────┐
  └───────┘      └───────┘      └───────┘


    3 5 9          4 7 1          2 8 1
  +   4 0        +   4 0        + 1 9 0
  ┌───────┐      ┌───────┐      ┌───────┐
  └───────┘      └───────┘      └───────┘


    3 8 5          2 7 4          1 9 9
  + 2 3 0        +   7 0        +   6 0
  ┌───────┐      ┌───────┐      ┌───────┐
  └───────┘      └───────┘      └───────┘


    4 8 2          1 3 6          2 4 6
  + 1 1 0        + 1 8 0        + 2 6 0
  ┌───────┐      ┌───────┐      ┌───────┐
  └───────┘      └───────┘      └───────┘
```

□ 안에 알맞은 수를 써넣으세요.

```
  4 5 3
+ 3 4 0
```

```
  3 5 8
+ 1 3 7
```

```
  4 6 8
+   7 0
```

```
  5 3 6
+ 2 7 2
```

```
  4 3 2
+ 1 5 7
```

```
  3 2 8
+   9 1
```

```
  6 1 4
+ 1 9 0
```

```
  4 5 7
+ 2 6 1
```

```
  2 7 8
+ 1 4 0
```

```
  3 5 4
+ 1 3 6
```

```
  7 2 8
+   9 0
```

```
  1 7 4
+ 4 6 3
```

□ 안에 알맞은 수를 써넣으세요.

$$
\begin{array}{r}
3\ 5\ 4 \\
+\quad 8\ 1 \\
\hline
\end{array}
\qquad
\begin{array}{r}
4\ 6\ 8 \\
+\quad 7\ 1 \\
\hline
\end{array}
\qquad
\begin{array}{r}
5\ 3\ 8 \\
+\ 1\ 8\ 0 \\
\hline
\end{array}
$$

$$
\begin{array}{r}
4\ 7\ 3 \\
+\ 1\ 5\ 2 \\
\hline
\end{array}
\qquad
\begin{array}{r}
6\ 1\ 9 \\
+\quad 7\ 0 \\
\hline
\end{array}
\qquad
\begin{array}{r}
4\ 5\ 2 \\
+\ 1\ 6\ 4 \\
\hline
\end{array}
$$

$$
\begin{array}{r}
2\ 7\ 5 \\
+\ 3\ 0\ 0 \\
\hline
\end{array}
\qquad
\begin{array}{r}
4\ 2\ 6 \\
+\ 2\ 7\ 2 \\
\hline
\end{array}
\qquad
\begin{array}{r}
2\ 5\ 3 \\
+\quad 8\ 0 \\
\hline
\end{array}
$$

$$
\begin{array}{r}
3\ 5\ 4 \\
+\ 1\ 7\ 3 \\
\hline
\end{array}
\qquad
\begin{array}{r}
4\ 7\ 4 \\
+\ 1\ 5\ 2 \\
\hline
\end{array}
\qquad
\begin{array}{r}
6\ 6\ 3 \\
+\quad 9\ 0 \\
\hline
\end{array}
$$

□ 안에 알맞은 수를 써넣으세요.

```
  7 2 3          4 3 7          2 4 3
+   6 3        + 1 8 0        + 2 7 4
```

```
  5 3 7          3 8 5          4 6 3
+ 1 0 8        +   9 2        +   7 2
```

```
  5 4 6          4 8 5          1 7 5
+   6 3        +   6 3        + 2 8 4
```

```
  4 5 2          5 1 3          2 5 3
+ 1 4 6        +   9 4        + 4 8 3
```

□ 안에 알맞은 수를 써넣으세요.

```
    7 4 8          2 9 4          4 5 3
  + 1 5 1        + 1 5 0        + 1 8 2
  [_____]      [_____]      [_____]


    4 6 2          4 5 3          3 5 8
  + 1 3 7        + 1 8 6        + 1 7 0
  [_____]      [_____]      [_____]


    5 2 8          6 3 4          7 2 8
  + 1 4 0        + 1 4 2        + 1 6 3
  [_____]      [_____]      [_____]


    5 2 4          6 2 8          4 9 3
  + 1 3 5        + 1 8 1        + 4 8 4
  [_____]      [_____]      [_____]
```

세 자리 수의 덧셈 (2)

□ 안에 알맞은 수를 써넣으세요.

```
    2 1 7        3 5 4        4 2 6
  +   9 8      + 1 6 1      +   3 5
  ┌───────┐    ┌───────┐    ┌───────┐
  └───────┘    └───────┘    └───────┘


    1 8 7        4 6 5        2 4 6
  + 1 8 5      +   2 5      + 1 7 6
  ┌───────┐    ┌───────┐    ┌───────┐
  └───────┘    └───────┘    └───────┘


    3 6 8        2 5 4        1 8 6
  +   7 1      + 4 8 3      +   4 9
  ┌───────┐    ┌───────┐    ┌───────┐
  └───────┘    └───────┘    └───────┘


    3 7 2        6 5 4        3 1 5
  + 1 5 5      +   8 4      + 1 7 8
  ┌───────┐    ┌───────┐    ┌───────┐
  └───────┘    └───────┘    └───────┘
```

□ 안에 알맞은 수를 써넣으세요.

```
    1 7 6          1 9 7          2 3 8
  +   8 2        + 1 6 3        +   5 6
  [        ]      [        ]      [        ]
```

```
    4 4 3          3 2 8          4 2 2
  +   9 4        + 1 2 5        + 1 9 5
  [        ]      [        ]      [        ]
```

```
    3 4 2          2 4 9          1 7 7
  +   6 8        + 3 2 3        +   8 6
  [        ]      [        ]      [        ]
```

```
    2 2 6          2 7 5          3 9 5
  + 1 4 5        +   8 3        +   7 7
  [        ]      [        ]      [        ]
```

□ 안에 알맞은 수를 써넣으세요.

```
    3 1 6          1 8 7          2 6 4
  +   5 5        +   6 8        +   6 5
  ┌─────────┐    ┌─────────┐    ┌─────────┐
  └─────────┘    └─────────┘    └─────────┘
```

```
    2 7 1          3 2 4          4 7 5
  + 1 1 9        + 1 6 8        + 1 4 4
  ┌─────────┐    ┌─────────┐    ┌─────────┐
  └─────────┘    └─────────┘    └─────────┘
```

```
    2 9 2          1 8 2          2 6 5
  + 1 6 5        + 2 2 2        +   8 7
  ┌─────────┐    ┌─────────┐    ┌─────────┐
  └─────────┘    └─────────┘    └─────────┘
```

```
    6 2 4          5 4 2          1 8 7
  + 1 2 9        +   6 4        + 3 7 3
  ┌─────────┐    ┌─────────┐    ┌─────────┐
  └─────────┘    └─────────┘    └─────────┘
```

□ 안에 알맞은 수를 써넣으세요.

```
   2 6 9
 +   5 1
 ────────
 [        ]
```

```
   3 2 8
 + 2 5 4
 ────────
 [        ]
```

```
   1 7 8
 + 1 6 1
 ────────
 [        ]
```

```
   2 9 4
 +   6 2
 ────────
 [        ]
```

```
   3 7 8
 +   4 9
 ────────
 [        ]
```

```
   4 1 8
 + 1 9 9
 ────────
 [        ]
```

```
   6 1 7
 + 1 5 6
 ────────
 [        ]
```

```
   2 8 7
 + 3 4 2
 ────────
 [        ]
```

```
   3 6 2
 +   8 1
 ────────
 [        ]
```

```
   2 8 7
 + 4 2 1
 ────────
 [        ]
```

```
   4 3 3
 +   6 8
 ────────
 [        ]
```

```
   3 4 5
 + 1 9 2
 ────────
 [        ]
```

□ 안에 알맞은 수를 써넣으세요.

```
    2 4 8            3 6 8            4 5 6
  +   8 5          + 1 7 5          +   8 1
  ┌─────────┐      ┌─────────┐      ┌─────────┐
  └─────────┘      └─────────┘      └─────────┘


    1 9 2            4 5 7            3 5 7
  + 2 8 5          +   9 4          + 1 6 8
  ┌─────────┐      ┌─────────┐      ┌─────────┐
  └─────────┘      └─────────┘      └─────────┘


    4 6 8            5 4 9            1 7 6
  +   7 1          + 2 0 9          +   8 5
  ┌─────────┐      ┌─────────┐      ┌─────────┐
  └─────────┘      └─────────┘      └─────────┘


    3 8 4            6 8 5            3 1 8
  + 1 6 7          +   7 5          + 1 6 9
  ┌─────────┐      ┌─────────┐      ┌─────────┐
  └─────────┘      └─────────┘      └─────────┘
```

□ 안에 알맞은 수를 써넣으세요.

$$
\begin{array}{r}
456 \\
+\ \ 95 \\
\hline
\end{array}
\qquad
\begin{array}{r}
187 \\
+173 \\
\hline
\end{array}
\qquad
\begin{array}{r}
368 \\
+161 \\
\hline
\end{array}
$$

$$
\begin{array}{r}
482 \\
+119 \\
\hline
\end{array}
\qquad
\begin{array}{r}
342 \\
+165 \\
\hline
\end{array}
\qquad
\begin{array}{r}
473 \\
+174 \\
\hline
\end{array}
$$

$$
\begin{array}{r}
276 \\
+158 \\
\hline
\end{array}
\qquad
\begin{array}{r}
329 \\
+180 \\
\hline
\end{array}
\qquad
\begin{array}{r}
258 \\
+\ \ 87 \\
\hline
\end{array}
$$

$$
\begin{array}{r}
347 \\
+\ \ 72 \\
\hline
\end{array}
\qquad
\begin{array}{r}
532 \\
+169 \\
\hline
\end{array}
\qquad
\begin{array}{r}
175 \\
+294 \\
\hline
\end{array}
$$

□ 안에 알맞은 수를 써넣으세요.

```
    3 1 8          4 9 4          5 2 8
  +   6 4        + 1 0 6        +   7 4
  ┌─────────┐    ┌─────────┐    ┌─────────┐
  └─────────┘    └─────────┘    └─────────┘
```

```
    6 2 3          5 2 3          6 1 7
  +   8 7        + 1 6 8        + 2 9 8
  ┌─────────┐    ┌─────────┐    ┌─────────┐
  └─────────┘    └─────────┘    └─────────┘
```

```
    5 2 6          2 6 7          4 2 6
  + 1 4 8        + 3 5 9        + 1 8 3
  ┌─────────┐    ┌─────────┐    ┌─────────┐
  └─────────┘    └─────────┘    └─────────┘
```

```
    4 6 8          5 2 8          5 7 6
  + 1 4 1        +   7 3        + 1 9 3
  ┌─────────┐    ┌─────────┐    ┌─────────┐
  └─────────┘    └─────────┘    └─────────┘
```

□ 안에 알맞은 수를 써넣으세요.

```
    3 5 7          5 2 8          2 6 8
  + 2 4 6        + 1 6 7        +   7 5
  ┌─────┐        ┌─────┐        ┌─────┐
  └─────┘        └─────┘        └─────┘


    1 9 6          2 5 8          5 3 6
  +   4 2        + 1 7 4        + 1 7 4
  ┌─────┐        ┌─────┐        ┌─────┐
  └─────┘        └─────┘        └─────┘


    4 5 8          6 3 9          4 6 8
  +   8 2        + 1 5 2        + 1 3 2
  ┌─────┐        ┌─────┐        ┌─────┐
  └─────┘        └─────┘        └─────┘


    5 3 3          4 5 8          2 8 6
  + 1 7 6        + 1 6 1        + 1 7 2
  ┌─────┐        ┌─────┐        ┌─────┐
  └─────┘        └─────┘        └─────┘
```

세 자리 수의 뺄셈 (1)

□ 안에 알맞은 수를 써넣으세요.

$$
\begin{array}{r} 4\ 2\ 8 \\ -\ 2\ 0\ 0 \\ \hline \square \end{array}
\qquad
\begin{array}{r} 3\ 2\ 5 \\ -\ \ \ 5\ 0 \\ \hline \square \end{array}
\qquad
\begin{array}{r} 2\ 6\ 9 \\ -\ \ \ 8\ 0 \\ \hline \square \end{array}
$$

$$
\begin{array}{r} 3\ 5\ 6 \\ -\ 1\ 0\ 0 \\ \hline \square \end{array}
\qquad
\begin{array}{r} 5\ 6\ 4 \\ -\ 1\ 4\ 0 \\ \hline \square \end{array}
\qquad
\begin{array}{r} 3\ 6\ 4 \\ -\ 1\ 7\ 0 \\ \hline \square \end{array}
$$

$$
\begin{array}{r} 2\ 3\ 9 \\ -\ \ \ 6\ 0 \\ \hline \square \end{array}
\qquad
\begin{array}{r} 5\ 9\ 4 \\ -\ 3\ 0\ 0 \\ \hline \square \end{array}
\qquad
\begin{array}{r} 7\ 2\ 1 \\ -\ 1\ 6\ 0 \\ \hline \square \end{array}
$$

$$
\begin{array}{r} 3\ 4\ 9 \\ -\ 1\ 9\ 0 \\ \hline \square \end{array}
\qquad
\begin{array}{r} 6\ 7\ 3 \\ -\ 2\ 3\ 0 \\ \hline \square \end{array}
\qquad
\begin{array}{r} 3\ 7\ 4 \\ -\ 1\ 8\ 0 \\ \hline \square \end{array}
$$

□ 안에 알맞은 수를 써넣으세요.

$$
\begin{array}{r}
3\ 2\ 6 \\
-\ 1\ 4\ 0 \\
\hline
\end{array}
\qquad
\begin{array}{r}
4\ 9\ 7 \\
-\ 2\ 5\ 0 \\
\hline
\end{array}
\qquad
\begin{array}{r}
3\ 4\ 1 \\
-\quad 7\ 0 \\
\hline
\end{array}
$$

$$
\begin{array}{r}
4\ 6\ 6 \\
-\ 1\ 8\ 0 \\
\hline
\end{array}
\qquad
\begin{array}{r}
2\ 3\ 7 \\
-\quad 5\ 0 \\
\hline
\end{array}
\qquad
\begin{array}{r}
5\ 8\ 6 \\
-\ 3\ 4\ 0 \\
\hline
\end{array}
$$

$$
\begin{array}{r}
3\ 6\ 6 \\
-\quad 9\ 0 \\
\hline
\end{array}
\qquad
\begin{array}{r}
4\ 8\ 6 \\
-\ 2\ 6\ 0 \\
\hline
\end{array}
\qquad
\begin{array}{r}
4\ 5\ 2 \\
-\ 1\ 8\ 0 \\
\hline
\end{array}
$$

$$
\begin{array}{r}
6\ 6\ 2 \\
-\quad 9\ 0 \\
\hline
\end{array}
\qquad
\begin{array}{r}
3\ 5\ 2 \\
-\ 1\ 7\ 0 \\
\hline
\end{array}
\qquad
\begin{array}{r}
4\ 8\ 2 \\
-\quad 9\ 0 \\
\hline
\end{array}
$$

□ 안에 알맞은 수를 써넣으세요.

```
    4 2 6          5 1 6          4 3 5
  -   7 0        -   4 0        - 2 2 0
  [        ]      [        ]      [        ]
```

```
    3 7 8          6 2 8          5 3 4
  - 1 9 0        - 1 4 0        - 3 2 0
  [        ]      [        ]      [        ]
```

```
    5 4 8          3 3 7          3 7 5
  - 2 6 0        -   6 0        - 1 9 0
  [        ]      [        ]      [        ]
```

```
    3 6 6          4 2 6          5 1 7
  - 1 5 0        -   8 0        - 2 3 0
  [        ]      [        ]      [        ]
```

□ 안에 알맞은 수를 써넣으세요.

```
    3 6 9          2 6 2          5 1 2
  - 1 5 0        -   8 0        - 1 7 0
  [       ]      [       ]      [       ]


    2 9 4          5 3 2          4 2 8
  - 1 4 0        - 2 7 0        -   6 0
  [       ]      [       ]      [       ]


    4 6 8          3 4 5          6 2 2
  - 2 9 0        -   7 0        -   9 0
  [       ]      [       ]      [       ]


    4 1 4          5 7 2          3 2 9
  - 1 3 0        - 2 5 0        - 1 6 0
  [       ]      [       ]      [       ]
```

□ 안에 알맞은 수를 써넣으세요.

```
   5 3 7          4 6 2          2 5 7
 - 1 0 2        -   9 1        -   8 3
 ┌─────────┐    ┌─────────┐    ┌─────────┐
 └─────────┘    └─────────┘    └─────────┘


   4 9 8          3 5 4          4 5 2
 -   6 9        - 1 8 2        - 1 3 1
 ┌─────────┐    ┌─────────┐    ┌─────────┐
 └─────────┘    └─────────┘    └─────────┘


   6 2 8          5 4 8          5 3 4
 - 1 1 0        - 1 3 9        - 1 6 0
 ┌─────────┐    ┌─────────┐    ┌─────────┐
 └─────────┘    └─────────┘    └─────────┘


   5 3 4          4 8 7          7 2 8
 - 1 8 1        -   9 2        - 1 4 5
 ┌─────────┐    ┌─────────┐    ┌─────────┐
 └─────────┘    └─────────┘    └─────────┘
```

□ 안에 알맞은 수를 써넣으세요.

```
    5 1 7          4 1 6          2 5 8
  - 3 0 5        -   5 1        -   8 7
  ─────────      ─────────      ─────────
```

```
    3 4 8          6 2 8          4 7 2
  - 1 2 9        -   8 5        - 1 5 9
  ─────────      ─────────      ─────────
```

```
    5 4 8          4 6 3          7 2 5
  - 1 9 0        - 1 1 7        - 1 9 4
  ─────────      ─────────      ─────────
```

```
    6 5 3          2 4 7          3 5 7
  -   8 0        - 1 2 9        - 1 9 2
  ─────────      ─────────      ─────────
```

□ 안에 알맞은 수를 써넣으세요.

```
  5 3 6          4 5 3          5 2 3
- 1 4 0        -   9 0        - 1 0 8
```

```
  4 5 7          5 4 5          5 7 2
- 1 2 8        - 1 7 0        - 2 5 9
```

```
  5 1 6          2 1 9          6 7 8
- 1 8 3        -   7 3        - 3 3 9
```

```
  3 2 3          5 3 8          8 6 7
- 1 4 1        - 1 9 0        - 2 5 8
```

□ 안에 알맞은 수를 써넣으세요.

```
  5 2 8          2 5 9          4 7 6
- 1 8 5        -   9 0        -   8 3
 [       ]      [       ]      [       ]
```

```
  3 8 5          5 2 4          4 1 9
- 1 7 6        - 2 7 0        -   7 2
 [       ]      [       ]      [       ]
```

```
  5 5 5          3 2 8          2 2 3
- 1 9 4        - 1 6 5        -   9 3
 [       ]      [       ]      [       ]
```

```
  4 3 2          6 2 8          3 8 7
- 1 2 7        - 1 8 4        - 1 0 9
 [       ]      [       ]      [       ]
```

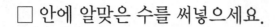

세 자리 수의 뺄셈 (2)

□ 안에 알맞은 수를 써넣으세요.

$$
\begin{array}{r}
3\ 4\ 6 \\
-\ \ \ 8\ 5 \\
\hline
\end{array}
$$

$$
\begin{array}{r}
2\ 8\ 9 \\
-\ \ \ 9\ 7 \\
\hline
\end{array}
$$

$$
\begin{array}{r}
7\ 2\ 5 \\
-\ 1\ 6\ 1 \\
\hline
\end{array}
$$

$$
\begin{array}{r}
4\ 5\ 5 \\
-\ 1\ 7\ 8 \\
\hline
\end{array}
$$

$$
\begin{array}{r}
4\ 2\ 7 \\
-\ \ \ 5\ 9 \\
\hline
\end{array}
$$

$$
\begin{array}{r}
5\ 4\ 6 \\
-\ 1\ 2\ 9 \\
\hline
\end{array}
$$

$$
\begin{array}{r}
3\ 7\ 7 \\
-\ \ \ 6\ 9 \\
\hline
\end{array}
$$

$$
\begin{array}{r}
2\ 6\ 5 \\
-\ 1\ 8\ 7 \\
\hline
\end{array}
$$

$$
\begin{array}{r}
5\ 4\ 2 \\
-\ 3\ 8\ 1 \\
\hline
\end{array}
$$

$$
\begin{array}{r}
3\ 7\ 4 \\
-\ 1\ 3\ 6 \\
\hline
\end{array}
$$

$$
\begin{array}{r}
4\ 2\ 5 \\
-\ 2\ 3\ 3 \\
\hline
\end{array}
$$

$$
\begin{array}{r}
5\ 5\ 4 \\
-\ 1\ 8\ 8 \\
\hline
\end{array}
$$

□ 안에 알맞은 수를 써넣으세요.

```
    3 3 6          5 1 8          2 6 1
  - 1 4 2        -   6 7        - 1 4 7
  ┌─────────┐    ┌─────────┐    ┌─────────┐
  └─────────┘    └─────────┘    └─────────┘


    2 7 8          4 2 6          5 4 3
  - 1 8 9        - 1 4 8        -   7 7
  ┌─────────┐    ┌─────────┐    ┌─────────┐
  └─────────┘    └─────────┘    └─────────┘


    4 4 8          3 8 4          3 7 9
  - 2 6 3        -   9 5        - 1 9 2
  ┌─────────┐    ┌─────────┐    ┌─────────┐
  └─────────┘    └─────────┘    └─────────┘


    4 3 3          3 2 9          5 4 1
  - 1 8 5        -   8 7        - 2 8 4
  ┌─────────┐    ┌─────────┐    ┌─────────┐
  └─────────┘    └─────────┘    └─────────┘
```

□ 안에 알맞은 수를 써넣으세요.

$$
\begin{array}{r}
4\ 2\ 1 \\
-\ \ \ 8\ 3 \\
\hline
\end{array}
$$

$$
\begin{array}{r}
3\ 5\ 1 \\
-\ \ \ 6\ 9 \\
\hline
\end{array}
$$

$$
\begin{array}{r}
3\ 5\ 5 \\
-\ 1\ 8\ 2 \\
\hline
\end{array}
$$

$$
\begin{array}{r}
4\ 3\ 5 \\
-\ 2\ 1\ 9 \\
\hline
\end{array}
$$

$$
\begin{array}{r}
5\ 4\ 3 \\
-\ 2\ 7\ 2 \\
\hline
\end{array}
$$

$$
\begin{array}{r}
3\ 6\ 7 \\
-\ 1\ 5\ 8 \\
\hline
\end{array}
$$

$$
\begin{array}{r}
5\ 1\ 5 \\
-\ 3\ 8\ 3 \\
\hline
\end{array}
$$

$$
\begin{array}{r}
2\ 3\ 4 \\
-\ 1\ 6\ 5 \\
\hline
\end{array}
$$

$$
\begin{array}{r}
3\ 5\ 8 \\
-\ 1\ 6\ 6 \\
\hline
\end{array}
$$

$$
\begin{array}{r}
4\ 6\ 3 \\
-\ 1\ 5\ 9 \\
\hline
\end{array}
$$

$$
\begin{array}{r}
6\ 7\ 2 \\
-\ \ \ 8\ 8 \\
\hline
\end{array}
$$

$$
\begin{array}{r}
5\ 1\ 6 \\
-\ 2\ 6\ 4 \\
\hline
\end{array}
$$

□ 안에 알맞은 수를 써넣으세요.

```
    2 5 6           4 3 6           3 7 5
  - 1 7 7         - 2 4 2         - 1 8 6
  [        ]      [        ]      [        ]


    5 4 3           4 2 7           4 6 1
  - 2 6 8         -   9 3         - 1 4 9
  [        ]      [        ]      [        ]


    4 6 2           6 2 7           5 6 3
  -   8 7         - 2 5 4         -   9 7
  [        ]      [        ]      [        ]


    3 8 5           5 4 4           5 3 4
  - 1 8 7         - 1 5 7         - 2 6 3
  [        ]      [        ]      [        ]
```

□ 안에 알맞은 수를 써넣으세요.

$$
\begin{array}{r}
4\ 5\ 1 \\
-\quad 8\ 4 \\
\hline
\end{array}
$$

$$
\begin{array}{r}
3\ 2\ 4 \\
-\quad 7\ 6 \\
\hline
\end{array}
$$

$$
\begin{array}{r}
5\ 5\ 3 \\
-\ 1\ 0\ 8 \\
\hline
\end{array}
$$

$$
\begin{array}{r}
4\ 2\ 8 \\
-\ 1\ 3\ 6 \\
\hline
\end{array}
$$

$$
\begin{array}{r}
5\ 2\ 4 \\
-\ 1\ 8\ 6 \\
\hline
\end{array}
$$

$$
\begin{array}{r}
4\ 2\ 3 \\
-\ 1\ 7\ 6 \\
\hline
\end{array}
$$

$$
\begin{array}{r}
3\ 1\ 2 \\
-\ 1\ 9\ 5 \\
\hline
\end{array}
$$

$$
\begin{array}{r}
3\ 2\ 6 \\
-\ 1\ 6\ 2 \\
\hline
\end{array}
$$

$$
\begin{array}{r}
6\ 1\ 5 \\
-\ 1\ 5\ 2 \\
\hline
\end{array}
$$

$$
\begin{array}{r}
3\ 5\ 4 \\
-\ 1\ 6\ 9 \\
\hline
\end{array}
$$

$$
\begin{array}{r}
4\ 7\ 2 \\
-\quad 8\ 5 \\
\hline
\end{array}
$$

$$
\begin{array}{r}
5\ 2\ 3 \\
-\ 1\ 8\ 2 \\
\hline
\end{array}
$$

□ 안에 알맞은 수를 써넣으세요.

```
   2 5 3          4 2 6          5 3 6
 - 1 9 9        - 1 8 3        - 1 1 7
 ┌─────┐        ┌─────┐        ┌─────┐
 └─────┘        └─────┘        └─────┘
```

```
   4 2 6          3 7 5          4 2 3
 - 1 8 9        -   8 6        - 1 9 3
 ┌─────┐        ┌─────┐        ┌─────┐
 └─────┘        └─────┘        └─────┘
```

```
   5 6 5          4 3 1          3 8 7
 -   8 7        - 1 7 6        -   9 8
 ┌─────┐        ┌─────┐        ┌─────┐
 └─────┘        └─────┘        └─────┘
```

```
   2 6 5          4 2 6          5 3 4
 - 1 8 7        - 1 3 8        - 1 6 9
 ┌─────┐        ┌─────┐        ┌─────┐
 └─────┘        └─────┘        └─────┘
```

□ 안에 알맞은 수를 써넣으세요.

```
  3 5 2        2 3 5        4 3 6
-   8 6      - 1 7 9      - 1 1 9
  [    ]        [    ]        [    ]
```

```
  3 2 4        5 2 4        4 6 8
- 1 6 8      - 1 7 6      - 1 8 7
  [    ]        [    ]        [    ]
```

```
  4 5 3        7 5 3        4 5 3
-   6 4      - 2 7 9      - 3 1 8
  [    ]        [    ]        [    ]
```

```
  3 5 2        6 1 4        5 3 8
- 1 2 6      - 1 4 7      - 1 6 7
  [    ]        [    ]        [    ]
```

□ 안에 알맞은 수를 써넣으세요.

$$
\begin{array}{r}
5\ 2\ 6 \\
-\quad 8\ 7 \\
\hline
\end{array}
\qquad
\begin{array}{r}
4\ 5\ 2 \\
-\ 1\ 8\ 0 \\
\hline
\end{array}
\qquad
\begin{array}{r}
3\ 5\ 7 \\
-\quad 9\ 8 \\
\hline
\end{array}
$$

$$
\begin{array}{r}
4\ 2\ 5 \\
-\ 1\ 6\ 8 \\
\hline
\end{array}
\qquad
\begin{array}{r}
3\ 1\ 7 \\
-\quad 5\ 8 \\
\hline
\end{array}
\qquad
\begin{array}{r}
6\ 2\ 5 \\
-\ 1\ 2\ 9 \\
\hline
\end{array}
$$

$$
\begin{array}{r}
5\ 3\ 4 \\
-\quad 7\ 5 \\
\hline
\end{array}
\qquad
\begin{array}{r}
4\ 6\ 2 \\
-\ 1\ 8\ 3 \\
\hline
\end{array}
\qquad
\begin{array}{r}
6\ 1\ 9 \\
-\ 1\ 4\ 8 \\
\hline
\end{array}
$$

$$
\begin{array}{r}
7\ 3\ 5 \\
-\ 4\ 5\ 7 \\
\hline
\end{array}
\qquad
\begin{array}{r}
6\ 2\ 8 \\
-\ 1\ 5\ 9 \\
\hline
\end{array}
\qquad
\begin{array}{r}
4\ 2\ 3 \\
-\ 1\ 8\ 6 \\
\hline
\end{array}
$$

정답

정답

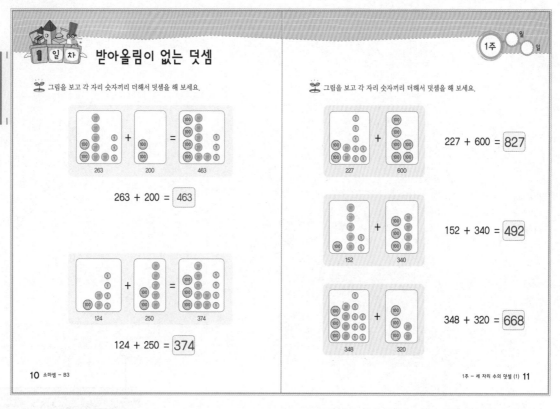

P 10 ~ 11

1일차 받아올림이 없는 덧셈

🌱 그림을 보고 각 자리 숫자끼리 더해서 덧셈을 해 보세요.

263 + 200 = 463

124 + 250 = 374

🌱 그림을 보고 각 자리 숫자끼리 더해서 덧셈을 해 보세요.

227 + 600 = 827

152 + 340 = 492

348 + 320 = 668

10 소마셈 - B3

1주 – 세 자리 수의 덧셈 (1) 11

P 12 ~ 13

🌱 □ 안에 알맞은 수를 써넣으세요.

326 + 140 = 466   154 + 200 = 354

144 + 250 = 394   256 + 130 = 386

595 + 300 = 895   345 + 400 = 745

427 + 230 = 657   228 + 360 = 588

342 + 400 = 742   462 + 400 = 862

211 + 350 = 561   337 + 550 = 887

12 소마셈 - B3

2일차 받아올림이 1번 있는 덧셈 (1)

🌱 그림을 보고 각 자리 숫자끼리 더해서 빈칸에 알맞은 수를 써넣으세요.

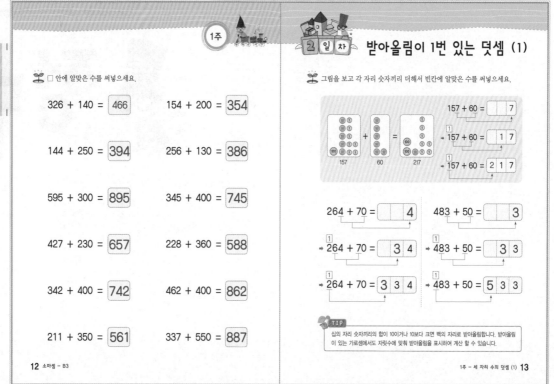

157 + 60 = 217

157 + 60 = ☐ 7
157 + 60 = 1 7
157 + 60 = 2 1 7

264 + 70 = ☐ 4
264 + 70 = 3 4
264 + 70 = 3 3 4

483 + 50 = ☐ 3
483 + 50 = 3 3
483 + 50 = 5 3 3

TIP
십의 자리 숫자끼리의 합이 10이거나 10보다 크면 백의 자리로 받아올림합니다. 받아올림이 있는 가로셈에서도 자릿수에 맞춰 받아올림을 표시하여 계산 할 수 있습니다.

1주 – 세 자리 수의 덧셈 (1) 13

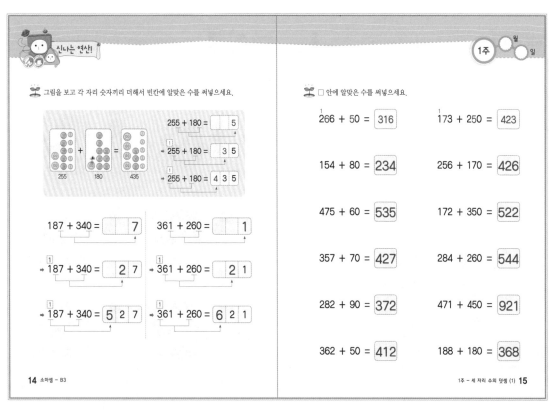

14 소마셈 - B3

1주 – 세 자리 수의 덧셈 (1) 15

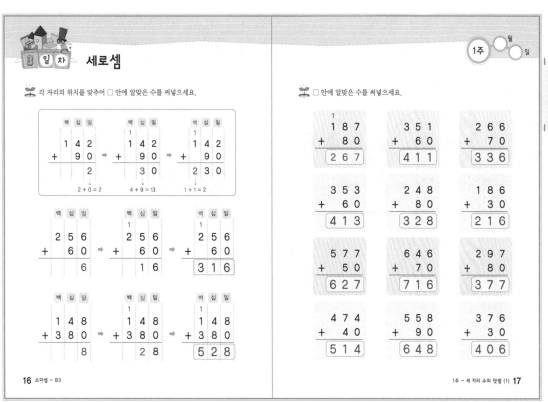

16 소마셈 - B3

1주 – 세 자리 수의 덧셈 (1) 17

□ 안에 알맞은 수를 써넣으세요.

```
  1
  1 5 6
+ 3 5 0
─────────
  5 0 6
```

```
  2 8 4
+ 1 6 0
─────────
  4 4 4
```

```
  1 4 6
+ 3 6 0
─────────
  5 0 6
```

```
  4 3 8
+ 2 9 0
─────────
  7 2 8
```

```
  2 7 9
+ 2 4 0
─────────
  5 1 9
```

```
  3 8 5
+ 1 6 0
─────────
  5 4 5
```

```
  3 7 2
+ 3 4 0
─────────
  7 1 2
```

```
  4 7 8
+ 2 7 0
─────────
  7 4 8
```

```
  1 6 7
+ 3 6 0
─────────
  5 2 7
```

```
  5 5 3
+ 2 8 0
─────────
  8 3 3
```

```
  4 8 2
+ 1 2 0
─────────
  6 0 2
```

```
  6 5 2
+ 1 5 0
─────────
  8 0 2
```

18 소마셈 - B3

4 일차 덧셈 퍼즐

□ 안에 알맞은 수를 써넣으세요.

251 → +200 → 451
251 → +70 → 321

194 → +30 → 224
194 → +150 → 344

322 → +160 → 482
322 → +90 → 412

248 → +130 → 378
248 → +80 → 328

237 → +170 → 407
237 → +300 → 537

319 → +90 → 409
319 → +220 → 539

1주 - 세 자리 수의 덧셈 (1) 19

올바른 계산 결과가 되도록 선을 그어 보세요.

+50
176 → 226
248 → 298
356 → 406

+60
325 → 385
468 → 528
347 → 407

+130
237 → 367
286 → 416
359 → 489

+150
428 → 578
392 → 542
348 → 498

20 소마셈 - B3

5 일차 문장제

이야기를 읽고, 계곡과 해수욕장에 가고 싶은 학생은 모두 몇 명인지 구하세요.

여름 방학이 다가오던 어느 날, 지희네 학교에서는 방학 때 놀러 가고 싶은 장소를 조사했습니다.
여러 장소들이 나왔지만 그 중에서도 계곡과 해수욕장에 가고 싶은 학생들이 많았습니다.
계곡에 가고 싶은 학생은 184명이었고, 해수욕장에 가고 싶은 학생은 270명이었습니다.
지희도 뻘리 빙핫이 되어서 시원한 계곡에 가고 싶었습니다.
계곡과 해수욕장에 가고 싶은 학생은 모두 몇 명일까요?

식 : 184 + 270 = 454

454 명

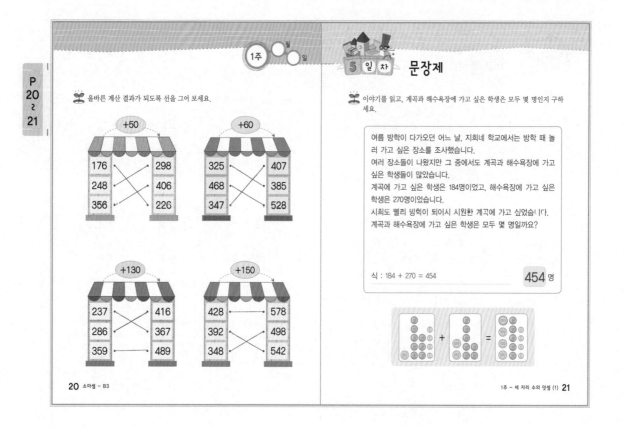

1주 - 세 자리 수의 덧셈 (1) 21

🌱 다음을 읽고 알맞은 덧셈식을 쓰고, 답을 구하세요.

재영이는 구슬을 263개 가지고 있습니다. 호민이는 220개 가지고 있다면
두 사람이 가지고 있는 구슬은 모두 몇 개일까요?

식 : 263+220=483   483 개

용진이네 아파트에는 남자 352명이 살고 있습니다. 여자는 남자보다 70명
더 있다면 용진이네 아파트에 사는 여자는 모두 몇 명일까요?

식 : 352+70=422   422 명

22 소마셈 – B3

🌱 다음을 읽고 알맞은 덧셈식을 쓰고, 답을 구하세요.

민지는 사탕을 118개 가지고 있고, 민석이는 240개 가지고 있습니다. 두
사람이 가지고 있는 사탕은 모두 몇 개일까요?

식 : 118+240=358   358 개

윤아는 산에서 밤을 146개 주웠습니다. 미리는 윤아보다 80개 더 주웠다면
미리가 주은 밤은 모두 몇 개일까요?

식 : 146+80=226   226 개

꽃집에 백합이 271송이 있고, 장미는 백합보다 160송이 더 많습니다. 꽃
집에 있는 장미는 모두 몇 송이일까요?

식 : 271+160=431   431 송이

1주 – 세 자리 수의 덧셈 (1) 23

🌱 다음을 읽고 알맞은 덧셈식을 쓰고, 답을 구하세요.

놀이공원에 입장한 남자는 342명, 여자는 420명입니다. 놀이공원에 입장한
사람은 모두 몇 명일까요?

식 : 342+420=762   762 명

서진이는 우표를 158장 모았고, 주영이는 150장을 모았습니다. 두 사람이
모은 우표는 모두 몇 장일까요?

식 : 158+150=308   308 장

농장에 오리가 268마리 있습니다. 닭은 오리보다 60마리 더 많다면 농장
에 있는 닭은 모두 몇 마리일까요?

식 : 268+60=328   328 마리

24 소마셈 – B3

받아올림이 1번 있는 덧셈 (2)

🌱 그림을 보고 각 자리 숫자끼리 더해서 빈칸에 알맞은 수를 써넣으세요.

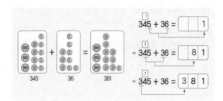

$345 + 36 =$ ⬜ 1
→ $345 + 36 =$ 8 1
→ $345 + 36 =$ 3 8 1

$318 + 45 =$ ⬜ 3
→ $318 + 45 =$ 6 3
→ $318 + 45 =$ 3 6 3

$273 + 52 =$ ⬜ 5
→ $273 + 52 =$ 2 5
→ $273 + 52 =$ 3 2 5

> **TIP**
> 일의 자리에서 받아올림이 생기면 십의 자리로, 십의 자리에서 받아올림이 생기면 백의
> 자리로 받아올림을 표시하여 계산합니다.

26 소마셈 – B3

🌱 그림을 보고 각 자리 숫자끼리 더해서 빈칸에 알맞은 수를 써넣으세요.

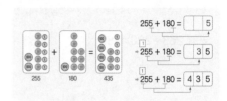

$255 + 180 =$ ⬜ 5
→ $255 + 180 =$ 3 5
→ $255 + 180 =$ 4 3 5

$354 + 117 =$ ⬜ 1
→ $354 + 117 =$ 7 1
→ $354 + 117 =$ 4 7 1

$273 + 173 =$ ⬜ 6
→ $273 + 173 =$ 4 6
→ $273 + 173 =$ 4 4 6

2주 – 세 자리 수의 덧셈 (2) **27**

🌱 ⬜ 안에 알맞은 수를 써넣으세요.

$237 + 48 =$ 285

$173 + 175 =$ 348

$129 + 34 =$ 163

$168 + 213 =$ 381

$281 + 52 =$ 333

$192 + 341 =$ 533

$266 + 73 =$ 339

$236 + 225 =$ 461

$317 + 46 =$ 363

$354 + 482 =$ 836

$438 + 58 =$ 496

$417 + 136 =$ 553

28 소마셈 – B3

받아올림이 2번 있는 덧셈

🌱 그림을 보고 각 자리 숫자끼리 더해서 빈칸에 알맞은 수를 써넣으세요.

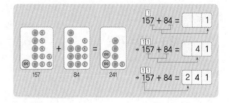

$157 + 84 =$ ⬜ 1
→ $157 + 84 =$ 4 1
→ $157 + 84 =$ 2 4 1

$268 + 76 =$ ⬜ 4
→ $268 + 76 =$ 4 4
→ $268 + 76 =$ 3 4 4

$375 + 48 =$ ⬜ 3
→ $375 + 48 =$ 2 3
→ $375 + 48 =$ 4 2 3

> **TIP**
> 각 자리 숫자끼리의 합이 10이거나 10보다 크면 바로 윗자리로 받아올림합니다.

2주 – 세 자리 수의 덧셈 (2) **29**

신나는 연산!

그림을 보고 각 자리 숫자끼리 더해서 빈칸에 알맞은 수를 써넣으세요.

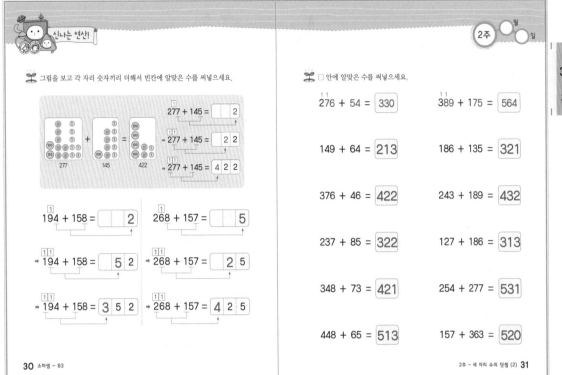

277 + 145 = [ ][ ]2

→ 277 + 145 = [ ]2 2

→ 277 + 145 = 4 2 2

194 + 158 = [ ][ ]2

→ 194 + 158 = 5 2

→ 194 + 158 = 3 5 2

268 + 157 = [ ][ ]5

→ 268 + 157 = 2 5

→ 268 + 157 = 4 2 5

2주

□ 안에 알맞은 수를 써넣으세요.

276 + 54 = 330

149 + 64 = 213

376 + 46 = 422

237 + 85 = 322

348 + 73 = 421

448 + 65 = 513

389 + 175 = 564

186 + 135 = 321

243 + 189 = 432

127 + 186 = 313

254 + 277 = 531

157 + 363 = 520

---

3 일차 세로셈

각 자리의 위치를 맞추어 □ 안에 알맞은 수를 써넣으세요.

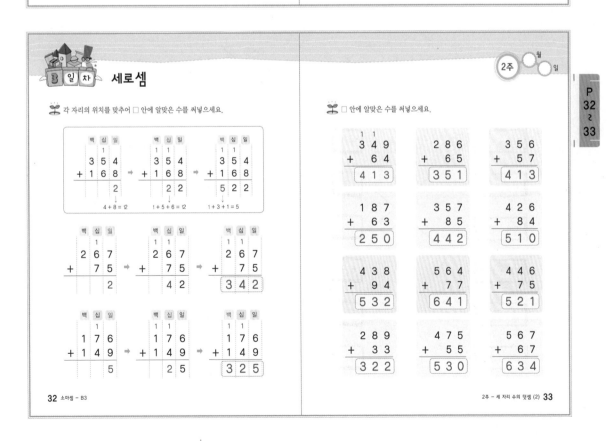

2주

□ 안에 알맞은 수를 써넣으세요.

```
 1 1
 3 4 9
+  6 4
-------
 4 1 3
```

```
 2 8 6
+  6 5
-------
 3 5 1
```

```
 3 5 6
+  5 7
-------
 4 1 3
```

```
 1 8 7
+  6 3
-------
 2 5 0
```

```
 3 5 7
+  8 5
-------
 4 4 2
```

```
 4 2 6
+  8 4
-------
 5 1 0
```

```
 4 3 8
+  9 4
-------
 5 3 2
```

```
 5 6 4
+  7 7
-------
 6 4 1
```

```
 4 4 6
+  7 5
-------
 5 2 1
```

```
 2 8 9
+  3 3
-------
 3 2 2
```

```
 4 7 5
+  5 5
-------
 5 3 0
```

```
 5 6 7
+  6 7
-------
 6 3 4
```

2주

□ 안에 알맞은 수를 써넣으세요.

```
  1 1
  1 8 7
+ 3 5 5
-------
  5 4 2
```

```
  2 7 5
+ 1 6 6
-------
  4 4 1
```

```
  2 6 4
+ 2 9 6
-------
  5 6 0
```

```
  4 2 8
+ 3 8 3
-------
  8 1 1
```

```
  1 6 9
+ 6 4 1
-------
  8 1 0
```

```
  3 5 7
+ 1 6 6
-------
  5 2 3
```

```
  2 8 2
+ 1 9 9
-------
  4 8 1
```

```
  3 4 8
+ 2 7 7
-------
  6 2 5
```

```
  5 6 7
+ 2 6 4
-------
  8 3 1
```

```
  4 6 4
+ 1 8 8
-------
  6 5 2
```

```
  6 7 3
+ 1 4 9
-------
  8 2 2
```

```
  5 5 7
+ 2 8 3
-------
  8 4 0
```

34 소마셈 - B3

4 일 차 덧셈 퍼즐

□ 안에 알맞은 수를 써넣으세요.

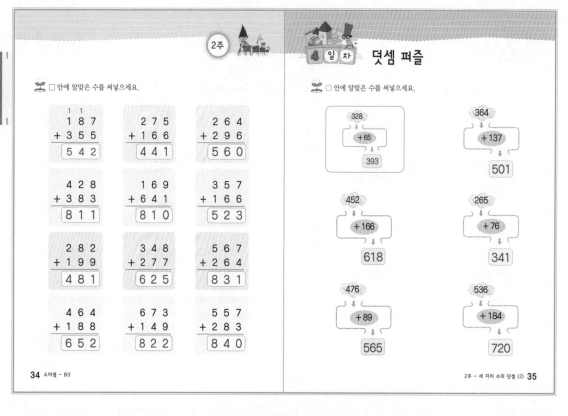

328 → +65 → 393

364 → +137 → 501

452 → +166 → 618

265 → +76 → 341

476 → +89 → 565

536 → +184 → 720

2주 - 세 자리 수의 덧셈 (2) **35**

2주 월 일

올바른 계산 결과를 찾아 선을 그어 보세요.

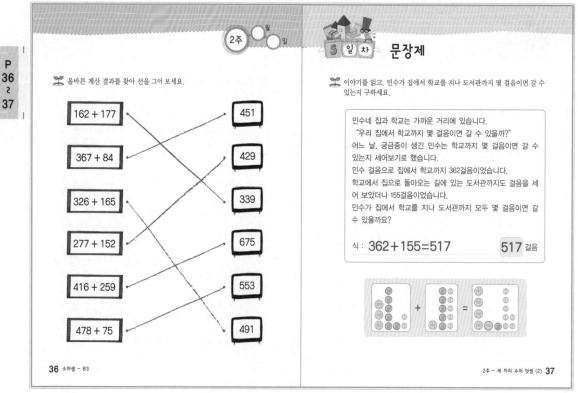

162 + 177	451
367 + 84	429
326 + 165	339
277 + 152	675
416 + 259	553
478 + 75	491

36 소마셈 - B3

5 일 차 문장제

이야기를 읽고, 민수가 집에서 학교를 지나 도서관까지 몇 걸음이면 갈 수 있는지 구하세요.

민수네 집과 학교는 가까운 거리에 있습니다.
"우리 집에서 학교까지 몇 걸음이면 갈 수 있을까?"
어느 날, 궁금증이 생긴 민수는 학교까지 몇 걸음이면 갈 수 있는지 세어보기로 했습니다.
민수 걸음으로 집에서 학교까지 362걸음이었습니다.
학교에서 집으로 돌아오는 길에 있는 도서관까지도 걸음을 세어 보았더니 155걸음이었습니다.
민수가 집에서 학교를 지나 도서관까지 모두 몇 걸음이면 갈 수 있을까요?

식 : 362+155=517   517 걸음

2주 - 세 자리 수의 덧셈 (2) **37**

🌱 다음을 읽고 알맞은 덧셈식을 쓰고, 답을 구하세요.

지선이는 지난주에 과학책을 287쪽 읽었습니다. 이번 주에는 지난주보다 52쪽을 더 읽었다면 지선이가 이번 주에 읽은 과학책은 모두 몇 쪽일까요?

식 : 287+52=339

339 쪽

용범이네 학교의 2학년 남학생의 수는 254명이고, 여학생의 수는 258명입니다. 용범이네 학교 2학년 전체 학생 수는 몇 명일까요?

식 : 254+258=512

512 명

P
38
~
39

🌱 다음을 읽고 알맞은 덧셈식을 쓰고, 답을 구하세요.

현정이는 칭찬스티커 175개를 모았습니다. 용주는 현정이보다 73개 더 모았다면 용주가 모은 칭찬스티커는 모두 몇 개일까요?

식 : 175+73=248

248 개

채영이는 줄넘기를 264번 넘었고, 동생 수정이는 156번 넘었습니다. 두 사람이 줄넘기를 넘은 횟수는 모두 몇 번일까요?

식 : 264+156=420

420 번

주차장에 차가 225대 있었는데, 한 시간 사이 182대가 더 들어왔습니다. 지금 주차장에 있는 차는 모두 몇 대일까요?

식 : 225+182=407

407 대

🌱 다음을 읽고 알맞은 덧셈식을 쓰고, 답을 구하세요.

삼촌 댁 과수원에서 지은이가 포도를 368개 땄습니다. 동생은 86개 땄다면 두 사람이 딴 포도는 모두 몇 개일까요?

식 : 368+86=454

454 개

사과나무 164그루와 배나무 255그루가 있습니다. 사과나무와 배나무는 모두 몇 그루일까요?

식 : 164+255=419

419 그루

장난감 공장에서 로봇을 436개, 인형을 146개 만들었습니다. 장난감 공장에서 만든 로봇과 인형은 모두 몇 개일까요?

식 : 436+146=582

582 개

P
40

P
42
~
43

받아내림이 없는 뺄셈

🌱 그림을 보고 각 자리 숫자끼리 빼서 뺄셈을 해 보세요.

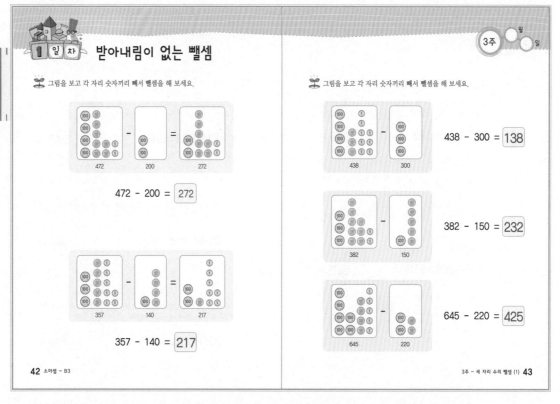

472 - 200 = 272

357 - 140 = 217

🌱 그림을 보고 각 자리 숫자끼리 빼서 뺄셈을 해 보세요.

438 - 300 = 138

382 - 150 = 232

645 - 220 = 425

P
44
~
45

🌱 □ 안에 알맞은 수를 써넣으세요.

556 - 310 = 246   425 - 200 = 225

353 - 150 = 203   568 - 400 = 168

483 - 120 = 363   375 - 160 = 215

426 - 300 = 126   651 - 240 = 411

582 - 400 = 182   594 - 350 = 244

351 - 150 = 201   487 - 370 = 117

받아내림이 1번 있는 뺄셈 (1)

🌱 그림을 보고 각 자리 숫자끼리 빼서 빈칸에 알맞은 수를 써넣으세요.

325 - 80 =   5

→ 325 - 80 =   4 5

→ 325 - 80 = 2 4 5

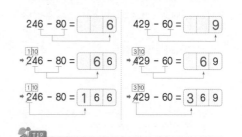

246 - 80 =   6

→ 246 - 80 =   6 6

→ 246 - 80 = 1 6 6

429 - 60 =   9

→ 429 - 60 =   6 9

→ 429 - 60 = 3 6 9

TIP
십의 자리 숫자끼리 뺄 수 없으면 백의 자리에서 받아내림합니다. 받아내림이 있는 가로셈
에서도 자릿수에 맞춰 받아내림을 표시하여 계산할 수 있습니다.

신나는 연산!

그림을 보고 각 자리 숫자끼리 빼서 빈칸에 알맞은 수를 써넣으세요.

343 - 190 = [ ] 3

$\rightarrow$ 343 - 190 = 5 3

$\rightarrow$ 343 - 190 = 1 5 3

343 - 190 = 153

328 - 160 = [ ] 8

526 - 180 = [ ] 6

$\rightarrow$ 328 - 160 = 6 8

$\rightarrow$ 526 - 180 = 4 6

$\rightarrow$ 328 - 160 = 1 6 8

$\rightarrow$ 526 - 180 = 3 4 6

□ 안에 알맞은 수를 써넣으세요.

214 - 50 = 164   337 - 170 = 167

345 - 60 = 285   326 - 140 = 186

421 - 50 = 371   353 - 180 = 173

342 - 80 = 262   439 - 250 = 189

533 - 70 = 463   524 - 280 = 244

426 - 40 = 386   455 - 170 = 285

---

3 일 차   세로셈

각 자리의 위치를 맞추어 □ 안에 알맞은 수를 써넣으세요.

백	십	일
3	2	5
- 1	6	0
		5

5 - 0 = 5

백	십	일
3	2	5
- 1	6	0
	6	5

12 - 6 = 6

백	십	일
3	2	5
- 1	6	0
1	6	5

2 - 1 = 1

백	십	일
2	5	3
-	8	0
		3

백	십	일
2	5	3
-	8	0
	7	3

백	십	일
2	5	3
-	8	0
1	7	3

백	십	일
4	3	4
- 2	5	0
		4

백	십	일
4	3	4
- 2	5	0
	8	4

백	십	일
4	3	4
- 2	5	0
1	8	4

□ 안에 알맞은 수를 써넣으세요.

3 2 9 - 80 = 2 4 9

2 3 6 - 70 = 1 6 6

3 5 1 - 70 = 2 8 1

4 2 7 - 40 = 3 8 7

1 4 6 - 50 = 9 6

3 3 6 - 80 = 2 5 6

3 2 8 - 50 = 2 7 8

4 5 4 - 70 = 3 8 4

3 7 7 - 90 = 2 8 7

2 2 9 - 40 = 1 8 9

3 2 5 - 50 = 2 7 5

4 3 2 - 60 = 3 7 2

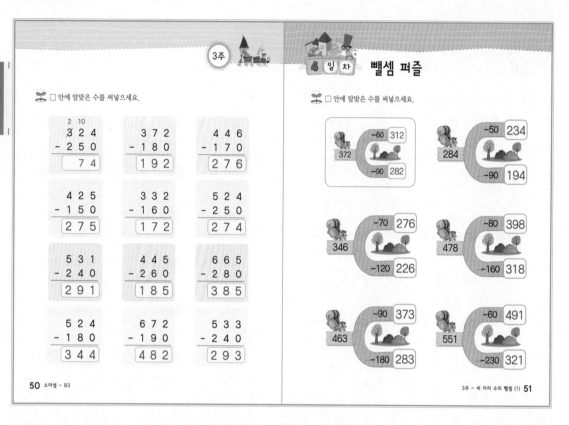

3주

□ 안에 알맞은 수를 써넣으세요.

```
  2 10
  3 2 4        3 7 2        4 4 6
- 2 5 0      - 1 8 0      - 1 7 0
─────────    ─────────    ─────────
    7 4        1 9 2        2 7 6

  4 2 5        3 3 2        5 2 4
- 1 5 0      - 1 6 0      - 2 5 0
─────────    ─────────    ─────────
  2 7 5        1 7 2        2 7 4

  5 3 1        4 4 5        6 6 5
- 2 4 0      - 2 6 0      - 2 8 0
─────────    ─────────    ─────────
  2 9 1        1 8 5        3 8 5

  5 2 4        6 7 2        5 3 3
- 1 8 0      - 1 9 0      - 2 4 0
─────────    ─────────    ─────────
  3 4 4        4 8 2        2 9 3
```

50 소마셈 – B3

4일차 뺄셈 퍼즐

□ 안에 알맞은 수를 써넣으세요.

372 → −60 312 / −90 282
284 → −50 234 / −90 194
346 → −70 276 / −120 226
478 → −80 398 / −160 318
463 → −90 373 / −180 283
551 → −60 491 / −230 321

3주 – 세 자리 수의 뺄셈 (1) **51**

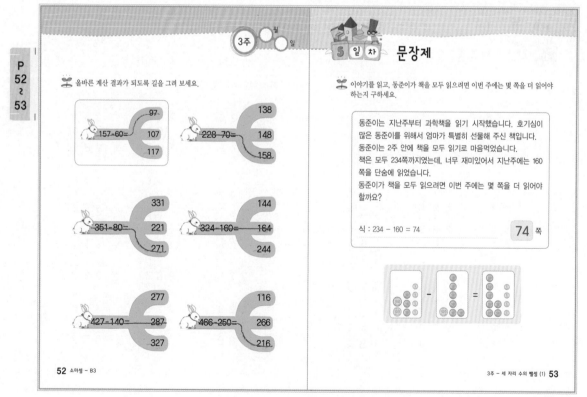

3주

올바른 계산 결과가 되도록 길을 그려 보세요.

157−60= → 97 / **107** / 117
228−70= → 138 / **148** / 158
351−80= → 331 / **271** / 221
324−160= → **164** / 144 / 244
427−140= → 277 / **287** / 327
466−250= → 116 / **216** / 266

52 소마셈 – B3

5일차 문장제

이야기를 읽고, 동준이가 책을 모두 읽으려면 이번 주에는 몇 쪽을 더 읽어야 하는지 구하세요.

동준이는 지난주부터 과학책을 읽기 시작했습니다. 호기심이 많은 동준이를 위해서 엄마가 특별히 선물해 주신 책입니다.
동준이는 2주 안에 책을 모두 읽기로 마음먹었습니다.
책은 모두 234쪽까지였는데, 너무 재미있어서 지난주에는 160쪽을 단숨에 읽었습니다.
동준이가 책을 모두 읽으려면 이번 주에는 몇 쪽을 더 읽어야 할까요?

식 : 234 − 160 = 74

74 쪽

3주 – 세 자리 수의 뺄셈 (1) **53**

🌱 다음을 읽고 알맞은 뺄셈식을 쓰고, 답을 구하세요.

도서관에서 348명의 학생이 책을 보고 있습니다. 한 시간 후 60명이 집으로 돌아갔다면 도서관에 남아 책을 보는 학생은 몇 명일까요?

식 : 348-60=288   288 명

현수는 구슬 237개를 가지고 있습니다. 주성이는 현수보다 140개를 적게 가지고 있다면 주성이가 가진 구슬은 몇 개일까요?

식 : 237-140=97   97 개

🌱 다음을 읽고 알맞은 뺄셈식을 쓰고, 답을 구하세요.

재민이네 학교의 전체 학생 수는 635명입니다. 그중 남학생이 300명이라면 여학생은 몇 명일까요?

식 : 635-300=335   335 명

영화관에 영화를 보러 온 사람 중 여자는 375명, 남자는 260명입니다. 여자가 남자보다 몇 명 더 많을까요?

식 : 375-260=115   115 명

윤희는 연필 한 자루와 지우개 한 개를 사고 570원을 냈습니다. 지우개 한 개가 280원이라면 연필 한 자루는 얼마일까요?

식 : 570-280=290   290 원

🌱 다음을 읽고 알맞은 뺄셈식을 쓰고, 답을 구하세요.

과일가게에서 어제와 오늘 사과를 367개 팔았습니다. 그중 170개가 어제 판 사과의 개수라면 오늘은 몇 개를 팔았을까요?

식 : 367-170=197   197 개

수민이는 구슬을 284개 가지고 있고, 희진이는 90개 가지고 있습니다. 수민이는 희진이보다 구슬을 몇 개 더 가지고 있을까요?

식 : 284-90=194   194 개

자동차 공장에서 트럭을 436대 만들었습니다. 승용차는 트럭보다 250대 적게 만들었다면 승용차는 몇 대 만들었을까요?

식 : 436-250=186   186 대

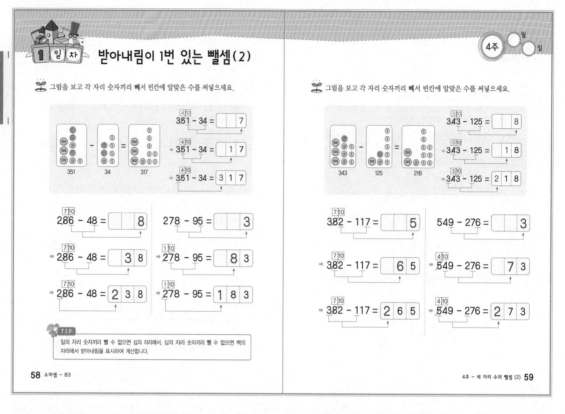

1일차 받아내림이 1번 있는 뺄셈(2)

4주

🌱 그림을 보고 각 자리 숫자끼리 빼서 빈칸에 알맞은 수를 써넣으세요.

351 - 34 = ☐ 7

→ 351 - 34 = 1 7

→ 351 - 34 = 3 1 7

286 - 48 = ☐ 8

→ 286 - 48 = 3 8

→ 286 - 48 = 2 3 8

278 - 95 = ☐ 3

→ 278 - 95 = 8 3

→ 278 - 95 = 1 8 3

TIP
일의 자리 숫자끼리 뺄 수 없으면 십의 자리에서, 십의 자리 숫자끼리 뺄 수 없으면 백의
자리에서 받아내림을 표시하여 계산합니다.

58 소마셈 - B3

🌱 그림을 보고 각 자리 숫자끼리 빼서 빈칸에 알맞은 수를 써넣으세요.

343 - 125 = ☐ 8

→ 343 - 125 = 1 8

→ 343 - 125 = 2 1 8

382 - 117 = ☐ 5

→ 382 - 117 = 6 5

→ 382 - 117 = 2 6 5

549 - 276 = ☐ 3

→ 549 - 276 = 7 3

→ 549 - 276 = 2 7 3

4주 - 세 자리 수의 뺄셈 (2) 59

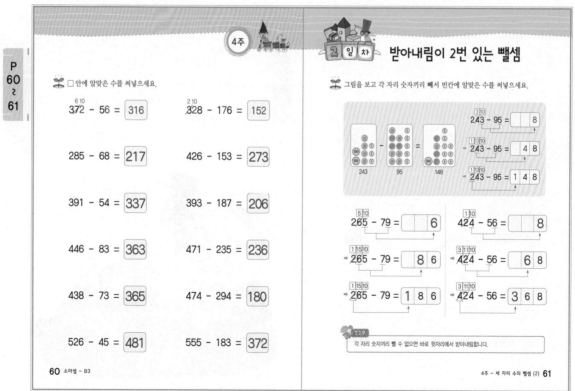

4주

🌱 ☐안에 알맞은 수를 써넣으세요.

372 - 56 = 316

285 - 68 = 217

391 - 54 = 337

446 - 83 = 363

438 - 73 = 365

526 - 45 = 481

328 - 176 = 152

426 - 153 = 273

393 - 187 = 206

471 - 235 = 236

474 - 294 = 180

555 - 183 = 372

60 소마셈 - B3

2일차 받아내림이 2번 있는 뺄셈

🌱 그림을 보고 각 자리 숫자끼리 빼서 빈칸에 알맞은 수를 써넣으세요.

243 - 95 = ☐ 8

→ 243 - 95 = 4 8

→ 243 - 95 = 1 4 8

265 - 79 = ☐ 6

→ 265 - 79 = 8 6

→ 265 - 79 = 1 8 6

424 - 56 = ☐ 8

→ 424 - 56 = 6 8

→ 424 - 56 = 3 6 8

TIP
각 자리 숫자끼리 뺄 수 없으면 바로 윗자리에서 받아내림합니다.

4주 - 세 자리 수의 뺄셈 (2) 61

신나는 연산!

그림을 보고 각 자리 숫자끼리 빼서 빈칸에 알맞은 수를 써넣으세요.

322 - 175 = [ ][7] ☐1☐10

🔲 - 🔲 = 🔲

322 175 147

→ 322 - 175 = [4][7] 2☐11☐10

→ 322 - 175 = [1][4][7] 2☐11☐10

3☐10
345 - 169 = [ ][6]

2☐13☐10
→ 345 - 169 = [7][6]

2☐13☐10
→ 345 - 169 = [1][7][6]

1☐10
524 - 285 = [ ][9]

4☐11☐10
→ 524 - 285 = [3][9]

4☐11☐10
→ 524 - 285 = [2][3][9]

62 소마셈 - B3

4주

P 62 ~ 63

☐ 안에 알맞은 수를 써넣으세요.

2 16 10
374 - 96 = [278]

4 12 10
534 - 287 = [247]

235 - 76 = [159]

335 - 166 = [169]

345 - 58 = [287]

456 - 179 = [277]

445 - 76 = [369]

424 - 258 = [166]

272 - 84 = [188]

437 - 179 = [258]

437 - 59 = [378]

357 - 168 = [189]

4주 - 세 자리 수의 뺄셈 (2) 63

3 일 차 세로셈

4주

P 64 ~ 65

각 자리의 위치를 맞추어 ☐ 안에 알맞은 수를 써넣으세요.

백	십	일
	1	10
3	2	3
- 1	7	9
		4

13 - 9 = 4

백	십	일
2	11	10
3	2	3
- 1	7	9
	4	4

11 - 7 = 4

백	십	일
2	11	10
3	2	3
- 1	7	9
1	4	4

2 - 1 = 1

백	십	일
	3	10
3	4	5
-	7	8
		7

백	십	일
2	13	10
3	4	5
-	7	8
	6	7

백	십	일
2	13	10
3	4	5
-	7	8
2	6	7

백	십	일
	2	10
5	3	6
- 1	5	9
		7

백	십	일
4	12	10
5	3	6
- 1	5	9
	7	7

백	십	일
4	12	10
5	3	6
- 1	5	9
3	7	7

64 소마셈 - B3

☐ 안에 알맞은 수를 써넣으세요.

1 11 10
2 2 6
- 4 8
[1 7 8]

2 5 5
- 6 8
[1 8 7]

3 6 1
- 7 7
[2 8 4]

4 2 3
- 4 6
[3 7 7]

3 2 6
- 5 7
[2 6 9]

2 5 3
- 6 5
[1 8 8]

3 4 4
- 7 9
[2 6 5]

2 2 5
- 8 6
[1 3 9]

4 3 7
- 5 8
[3 7 9]

3 1 4
- 8 9
[2 2 5]

3 2 3
- 7 8
[2 4 5]

4 2 6
- 4 9
[3 7 7]

4주 - 세 자리 수의 뺄셈 (2) 65

정답 **121**

정답

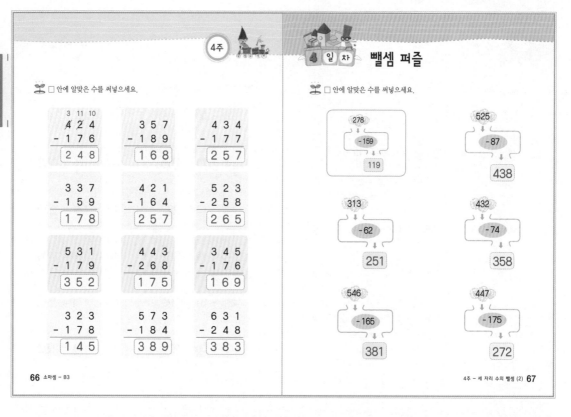

④주

□ 안에 알맞은 수를 써넣으세요.

```
  3 11 10
  4 2 4
- 1 7 6
─────────
  2 4 8
```

```
  3 5 7
- 1 8 9
─────────
  1 6 8
```

```
  4 3 4
- 1 7 7
─────────
  2 5 7
```

```
  3 3 7
- 1 5 9
─────────
  1 7 8
```

```
  4 2 1
- 1 6 4
─────────
  2 5 7
```

```
  5 2 3
- 2 5 8
─────────
  2 6 5
```

```
  5 3 1
- 1 7 9
─────────
  3 5 2
```

```
  4 4 3
- 2 6 8
─────────
  1 7 5
```

```
  3 4 5
- 1 7 6
─────────
  1 6 9
```

```
  3 2 3
- 1 7 8
─────────
  1 4 5
```

```
  5 7 3
- 1 8 4
─────────
  3 8 9
```

```
  6 3 1
- 2 4 8
─────────
  3 8 3
```

4 일 차 빼셈 퍼즐

□ 안에 알맞은 수를 써넣으세요.

278 → -159 → 119

525 → -87 → 438

313 → -62 → 251

432 → -74 → 358

546 → -165 → 381

447 → -175 → 272

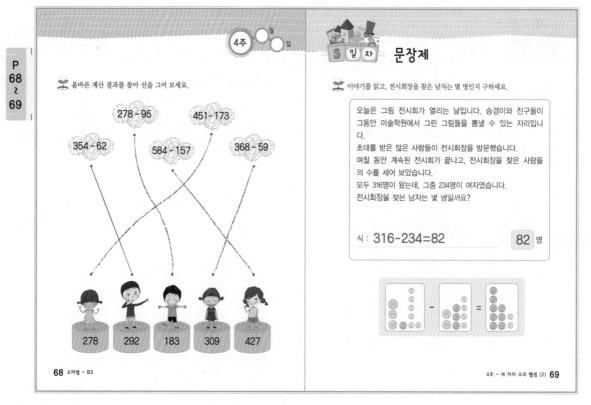

④주

올바른 계산 결과를 찾아 선을 그어 보세요.

278 - 95
451 - 173
354 - 62
584 - 157
368 - 59

278 292 183 309 427

5 일 차 문장제

이야기를 읽고, 전시회장을 찾은 남자는 몇 명인지 구하세요.

오늘은 그림 전시회가 열리는 날입니다. 승경이와 친구들이 그동안 미술학원에서 그린 그림들을 뽐낼 수 있는 자리입니다.

초대를 받은 많은 사람들이 전시회장을 방문했습니다.

며칠 동안 계속된 전시회가 끝나고, 전시회장을 찾은 사람들의 수를 세어 보았습니다.

모두 316명이 왔는데, 그중 234명이 여자였습니다.

전시회장을 찾은 남자는 몇 명일까요?

식 : 316-234=82   82 명

P 70 ~ 71

🌱 다음을 읽고 알맞은 뺄셈식을 쓰고, 답을 구하세요.

학교 강당에 학생들이 466명 모여 있습니다. 그중 여학생이 158명이라면 남학생은 모두 몇 명일까요?

식 : 466-158=308

308 명

과수원에서 딸기 372개를 수확했습니다. 그중 175개를 이웃들에게 나누어 주었다면 남은 딸기는 몇 개일까요?

식 : 372-175=197

197 개

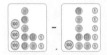

🌱 다음을 읽고 알맞은 뺄셈식을 쓰고, 답을 구하세요.

재환이는 사탕 375개를 가지고 있습니다. 슬기에게 88개를 주었다면 재환이에게 남은 사탕은 몇 개일까요?

식 : 375-88=287

287 개

지하철에 426명이 타고 있습니다. 다음 정거장에서 255명이 내렸다면 지하철에 남아 있는 사람은 몇 명일까요?

식 : 426-255=171

171 명

다희는 감을 어제 329개 땄고, 오늘은 어제보다 156개 적게 땄습니다. 다희가 오늘 딴 감은 몇 개일까요?

식 : 329-156=173

173 개

P 72

🌱 다음을 읽고 알맞은 뺄셈식을 쓰고, 답을 구하세요.

희철이가 우표 322장을 모았습니다. 태연이는 희철이가 모은 우표보다 75장 적게 모았다면 태연이가 모은 우표는 몇 장일까요?

식 : 322-75=247

247 장

서현이는 종이학을 451개 접었고, 택연이는 서현이보다 177개 적게 접었습니다. 택연이가 접은 종이학은 몇 개일까요?

식 : 451-177=274

274 개

지혜네 학교의 전체 학생 수는 587명입니다. 그중 여학생이 249명이라면 남학생은 몇 명일까요?

식 : 587-249=338

338 명

정답

1주차 (drill) 세 자리 수의 덧셈 (1)

□ 안에 알맞은 수를 써넣으세요.

2 3 7 + 4 0 0 **6 3 7**	3 2 6 + 2 5 0 **5 7 6**	2 6 7 + 7 0 **3 3 7**
4 5 5 + 1 8 0 **6 3 5**	5 1 5 + 6 0 **5 7 5**	3 2 7 + 1 9 0 **5 1 7**
4 5 9 + 7 0 **5 2 9**	3 6 8 + 1 3 0 **4 9 8**	2 8 8 + 2 7 0 **5 5 8**
3 8 6 + 6 0 **4 4 6**	6 7 6 + 2 0 0 **8 7 6**	1 8 3 + 4 3 0 **6 1 3**

□ 안에 알맞은 수를 써넣으세요.

2 7 7 + 9 0 **3 6 7**	4 5 6 + 6 0 **5 1 6**	3 4 5 + 1 6 0 **5 0 5**
3 8 7 + 2 5 0 **6 3 7**	6 1 8 + 8 0 **6 9 8**	6 6 4 + 5 0 **7 1 4**
1 9 8 + 3 0 0 **4 9 8**	2 4 2 + 3 7 0 **6 1 2**	2 4 1 + 9 0 **3 3 1**
3 4 2 + 8 0 **4 2 2**	5 7 3 + 1 6 0 **7 3 3**	4 7 4 + 9 0 **5 6 4**

74 소마셈 - B3

Drill - 보충학습 75

1주차 (drill)

□ 안에 알맞은 수를 써넣으세요.

6 1 8 + 6 0 **6 7 8**	4 2 8 + 1 9 0 **6 1 8**	2 5 1 + 2 7 0 **5 2 1**
4 3 4 + 6 0 **4 9 4**	2 2 8 + 1 8 0 **4 0 8**	3 4 5 + 7 0 **4 1 5**
3 5 4 + 5 0 **4 0 4**	4 9 7 + 6 0 **5 5 7**	1 8 6 + 2 4 0 **4 2 6**
4 5 3 + 1 3 0 **5 8 3**	5 1 2 + 9 0 **6 0 2**	2 4 7 + 2 9 0 **5 3 7**

□ 안에 알맞은 수를 써넣으세요.

3 3 7 + 1 7 0 **5 0 7**	2 4 5 + 4 0 **2 8 5**	3 9 2 + 1 5 0 **5 4 2**
3 5 9 + 4 0 **3 9 9**	4 7 1 + 4 0 **5 1 1**	2 8 1 + 1 9 0 **4 7 1**
3 8 5 + 2 3 0 **6 1 5**	2 7 4 + 7 0 **3 4 4**	1 9 9 + 6 0 **2 5 9**
4 8 2 + 1 1 0 **5 9 2**	1 3 6 + 1 8 0 **3 1 6**	2 4 6 + 2 6 0 **5 0 6**

76 소마셈 - B3

Drill - 보충학습 77

124 소마셈 - B3

1주차 drill

□ 안에 알맞은 수를 써넣으세요.

```
  4 5 3        3 5 8        4 6 8
+ 3 4 0      + 1 3 7      +   7 0
  7 9 3        4 9 5        5 3 8

  5 3 6        4 3 2        3 2 8
+ 2 7 2      + 1 5 7      +   9 1
  8 0 8        5 8 9        4 1 9

  6 1 4        4 5 7        2 7 8
+ 1 9 0      + 2 6 1      + 1 4 0
  8 0 4        7 1 8        4 1 8

  3 5 4        7 2 8        1 7 4
+ 1 3 6      +   9 0      + 4 6 3
  4 9 0        8 1 8        6 3 7
```

□ 안에 알맞은 수를 써넣으세요.

```
  3 5 4        4 6 8        5 3 8
+   8 1      +   7 1      + 1 8 0
  4 3 5        5 3 9        7 1 8

  4 7 3        6 1 9        4 5 2
+ 1 5 2      +   7 0      + 1 6 4
  6 2 5        6 8 9        6 1 6

  2 7 5        4 2 6        2 5 3
+ 3 0 0      + 2 7 2      +   8 0
  5 7 5        6 9 8        3 3 3

  3 5 4        4 7 4        6 6 3
+ 1 7 3      + 1 5 2      +   9 0
  5 2 7        6 2 6        7 5 3
```

1주차 drill

□ 안에 알맞은 수를 써넣으세요.

```
  7 2 3        4 3 7        2 4 3
+   6 3      + 1 8 0      + 2 7 4
  7 8 6        6 1 7        5 1 7

  5 3 7        3 8 5        4 6 3
+ 1 0 8      +   9 2      +   7 2
  6 4 5        4 7 7        5 3 5

  5 4 6        4 8 5        1 7 5
+   6 3      +   6 3      + 2 8 4
  6 0 9        5 4 8        4 5 9

  4 5 2        5 1 3        2 5 3
+ 1 4 6      +   9 4      + 4 8 3
  5 9 8        6 0 7        7 3 6
```

□ 안에 알맞은 수를 써넣으세요.

```
  7 4 8        2 9 4        4 5 3
+ 1 5 1      + 1 5 0      + 1 8 2
  8 9 9        4 4 4        6 3 5

  4 6 2        4 5 3        3 5 8
+ 1 3 7      + 1 8 6      + 1 7 0
  5 9 9        6 3 9        5 2 8

  5 2 8        6 3 4        7 2 8
+ 1 4 0      + 1 4 2      + 1 6 3
  6 6 8        7 7 6        8 9 1

  5 2 4        6 2 8        4 9 3
+ 1 3 5      + 1 8 1      + 4 8 4
  6 5 9        8 0 9        9 7 7
```

2주차

세 자리 수의 덧셈 (2)

□ 안에 알맞은 수를 써넣으세요.

```
  2 1 7        3 5 4        4 2 6
+   9 8      + 1 6 1      +   3 5
  3 1 5        5 1 5        4 6 1
```

```
  1 8 7        4 6 5        2 4 6
+ 1 8 5      +   2 5      + 1 7 6
  3 7 2        4 9 0        4 2 2
```

```
  3 6 8        2 5 4        1 8 6
+   7 1      + 4 8 3      +   4 9
  4 3 9        7 3 7        2 3 5
```

```
  3 7 2        6 5 4        3 1 5
+ 1 5 5      +   8 4      + 1 7 8
  5 2 7        7 3 8        4 9 3
```

□ 안에 알맞은 수를 써넣으세요.

```
  1 7 6        1 9 7        2 3 8
+   8 2      + 1 6 3      +   5 6
  2 5 8        3 6 0        2 9 4
```

```
  4 4 3        3 2 8        4 2 2
+   9 4      + 1 2 5      + 1 9 5
  5 3 7        4 5 3        6 1 7
```

```
  3 4 2        2 4 9        1 7 7
+   6 8      + 3 2 3      +   8 6
  4 1 0        5 7 2        2 6 3
```

```
  2 2 6        2 7 5        3 9 5
+ 1 4 5      +   8 3      +   7 7
  3 7 1        3 5 8        4 7 2
```

82 소마셈 – B3

Drill – 보충학습 83

2주차

□ 안에 알맞은 수를 써넣으세요.

```
  3 1 6        1 8 7        2 6 4
+   5 5      +   6 8      +   6 5
  3 7 1        2 5 5        3 2 9
```

```
  2 7 1        3 2 4        4 7 5
+ 1 1 9      + 1 6 8      + 1 4 4
  3 9 0        4 9 2        6 1 9
```

```
  2 9 2        1 8 2        2 6 5
+ 1 6 5      + 2 2 2      +   8 7
  4 5 7        4 0 4        3 5 2
```

```
  6 2 4        5 4 2        1 8 7
+ 1 2 9      +   6 4      + 3 7 3
  7 5 3        6 0 6        5 6 0
```

□ 안에 알맞은 수를 써넣으세요.

```
  2 6 9        3 2 8        1 7 8
+   5 1      + 2 5 4      + 1 6 1
  3 2 0        5 8 2        3 3 9
```

```
  2 9 4        3 7 8        4 1 8
+   6 2      +   4 9      + 1 9 9
  3 5 6        4 2 7        6 1 7
```

```
  6 1 7        2 8 7        3 6 2
+ 1 5 6      + 3 4 2      +   8 1
  7 7 3        6 2 9        4 4 3
```

```
  2 8 7        4 3 3        3 4 5
+ 4 2 1      +   6 8      + 1 9 2
  7 0 8        5 0 1        5 3 7
```

84 소마셈 – B3

Drill – 보충학습 85

2주차

□ 안에 알맞은 수를 써넣으세요.

248 + 85 **333**	368 +175 **543**	456 + 81 **537**
192 +285 **477**	457 + 94 **551**	357 +168 **525**
468 + 71 **539**	549 +209 **758**	176 + 85 **261**
384 +167 **551**	685 + 75 **760**	318 +169 **487**

□ 안에 알맞은 수를 써넣으세요.

456 + 95 **551**	187 +173 **360**	368 +161 **529**
482 +119 **601**	342 +165 **507**	473 +174 **647**
276 +158 **434**	329 +180 **509**	258 + 87 **345**
347 + 72 **419**	532 +169 **701**	175 +294 **469**

P
86
~
87

2주차

□ 안에 알맞은 수를 써넣으세요.

318 + 64 **382**	494 +106 **600**	528 + 74 **602**
623 + 87 **710**	523 +168 **691**	617 +298 **915**
526 +148 **674**	267 +359 **626**	426 +183 **609**
468 +141 **609**	528 + 73 **601**	576 +193 **769**

□ 안에 알맞은 수를 써넣으세요.

357 +246 **603**	528 +167 **695**	268 + 75 **343**
196 + 42 **238**	258 +174 **432**	536 +174 **710**
458 + 82 **540**	639 +152 **791**	468 +132 **600**
533 +176 **709**	458 +161 **619**	286 +172 **458**

P
88
~
89

3주차 세 자리 수의 뺄셈 (1)

□ 안에 알맞은 수를 써넣으세요.

428 − 200 = 228	325 − 50 = 275	269 − 80 = 189
356 − 100 = 256	564 − 140 = 424	364 − 170 = 194
239 − 60 = 179	594 − 300 = 294	721 − 160 = 561
349 − 190 = 159	673 − 230 = 443	374 − 180 = 194

□ 안에 알맞은 수를 써넣으세요.

326 − 140 = 186	497 − 250 = 247	341 − 70 = 271
466 − 180 = 286	237 − 50 = 187	586 − 340 = 246
366 − 90 = 276	486 − 260 = 226	452 − 180 = 272
662 − 90 = 572	352 − 170 = 182	482 − 90 = 392

90 소마셈 - B3

Drill - 보충학습 91

3주차

□ 안에 알맞은 수를 써넣으세요.

426 − 70 = 356	516 − 40 = 476	435 − 220 = 215
378 − 190 = 188	628 − 140 = 488	534 − 320 = 214
548 − 260 = 288	337 − 60 = 277	375 − 190 = 185
366 − 150 = 216	426 − 80 = 346	517 − 230 = 287

□ 안에 알맞은 수를 써넣으세요.

369 − 150 = 219	262 − 80 = 182	512 − 170 = 342
294 − 140 = 154	532 − 270 = 262	428 − 60 = 368
468 − 290 = 178	345 − 70 = 275	622 − 90 = 532
414 − 130 = 284	572 − 250 = 322	329 − 160 = 169

92 소마셈 - B3

Drill - 보충학습 93

□ 안에 알맞은 수를 써넣으세요.

```
  5 3 7        4 6 2        2 5 7
- 1 0 2      -   9 1      -   8 3
  4 3 5        3 7 1        1 7 4

  4 9 8        3 5 4        4 5 2
-   6 9      - 1 8 2      - 1 3 1
  4 2 9        1 7 2        3 2 1

  6 2 8        5 4 8        5 3 4
- 1 1 0      - 1 3 9      - 1 6 0
  5 1 8        4 0 9        3 7 4

  5 3 4        4 8 7        7 2 8
- 1 8 1      -   9 2      - 1 4 5
  3 5 3        3 9 5        5 8 3
```

94 소마셈 - B3

□ 안에 알맞은 수를 써넣으세요.

```
  5 1 7        4 1 6        2 5 8
- 3 0 5      -   5 1      -   8 7
  2 1 2        3 6 5        1 7 1

  3 4 8        6 2 8        4 7 2
- 1 2 9      -   8 5      - 1 5 9
  2 1 9        5 4 3        3 1 3

  5 4 8        4 6 3        7 2 5
- 1 9 0      - 1 1 7      - 1 9 4
  3 5 8        3 4 6        5 3 1

  6 5 3        2 4 7        3 5 7
-   8 0      - 1 2 9      - 1 9 2
  5 7 3        1 1 8        1 6 5
```

Drill - 보충학습 **95**

□ 안에 알맞은 수를 써넣으세요.

```
  5 3 6        4 5 3        5 2 3
- 1 4 0      -   9 0      - 1 0 8
  3 9 6        3 6 3        4 1 5

  4 5 7        5 4 5        5 7 2
- 1 2 8      - 1 7 0      - 2 5 9
  3 2 9        3 7 5        3 1 3

  5 1 6        2 1 9        6 7 8
- 1 8 3      -   7 3      - 3 3 9
  3 3 3        1 4 6        3 3 9

  3 2 3        5 3 8        8 6 7
- 1 4 1      - 1 9 0      - 2 5 8
  1 8 2        3 4 8        6 0 9
```

96 소마셈 - B3

□ 안에 알맞은 수를 써넣으세요.

```
  5 2 8        2 5 9        4 7 6
- 1 8 5      -   9 0      -   8 3
  3 4 3        1 6 9        3 9 3

  3 8 5        5 2 4        4 1 9
- 1 7 6      - 2 7 0      -   7 2
  2 0 9        2 5 4        3 4 7

  5 5 5        3 2 8        2 2 3
- 1 9 4      - 1 6 5      -   9 3
  3 6 1        1 6 3        1 3 0

  4 3 2        6 2 8        3 8 7
- 1 2 7      - 1 8 4      - 1 0 9
  3 0 5        4 4 4        2 7 8
```

Drill - 보충학습 **97**

정답

4주차 · 세 자리 수의 뺄셈 (2)

□ 안에 알맞은 수를 써넣으세요.

```
  3 4 6        2 8 9        7 2 5
-   8 5      -   9 7      - 1 6 1
  2 6 1        1 9 2        5 6 4

  4 5 5        4 2 7        5 4 6
- 1 7 8      -   5 9      - 1 2 9
  2 7 7        3 6 8        4 1 7

  3 7 7        2 6 5        5 4 2
-   6 9      - 1 8 7      - 3 8 1
  3 0 8          7 8        1 6 1

  3 7 4        4 2 5        5 5 4
- 1 3 6      - 2 3 3      - 1 8 8
  2 3 8        1 9 2        3 6 6
```

□ 안에 알맞은 수를 써넣으세요.

```
  3 3 6        5 1 8        2 6 1
- 1 4 2      -   6 7      - 1 4 7
  1 9 4        4 5 1        1 1 4

  2 7 8        4 2 6        5 4 3
- 1 8 9      - 1 4 8      -   7 7
    8 9        2 7 8        4 6 6

  4 4 8        3 8 4        3 7 9
- 2 6 3      -   9 5      - 1 9 2
  1 8 5        2 8 9        1 8 7

  4 3 3        3 2 9        5 4 1
- 1 8 5      -   8 7      - 2 8 4
  2 4 8        2 4 2        2 5 7
```

4주차

□ 안에 알맞은 수를 써넣으세요.

```
  4 2 1        3 5 1        3 5 5
-   8 3      -   6 9      - 1 8 2
  3 3 8        2 8 2        1 7 3

  4 3 5        5 4 3        3 6 7
- 2 1 9      - 2 7 2      - 1 5 8
  2 1 6        2 7 1        2 0 9

  5 1 5        2 3 4        3 5 8
- 3 8 3      - 1 6 5      - 1 6 6
  1 3 2          6 9        1 9 2

  4 6 3        6 7 2        5 1 6
- 1 5 9      -   8 8      - 2 6 4
  3 0 4        5 8 4        2 5 2
```

□ 안에 알맞은 수를 써넣으세요.

```
  2 5 6        4 3 6        3 7 5
- 1 7 7      - 2 4 2      - 1 8 6
    7 9        1 9 4        1 8 9

  5 4 3        4 2 7        4 6 1
- 2 6 8      -   9 3      - 1 4 9
  2 7 5        3 3 4        3 1 2

  4 6 2        6 2 7        5 6 3
-   8 7      - 2 5 4      -   9 7
  3 7 5        3 7 3        4 6 6

  3 8 5        5 4 4        5 3 4
- 1 8 7      - 1 5 7      - 2 6 3
  1 9 8        3 8 7        2 7 1
```

□ 안에 알맞은 수를 써넣으세요.

```
  4 5 1        3 2 4        5 5 3
-   8 4      -   7 6      - 1 0 8
  3 6 7        2 4 8        4 4 5

  4 2 8        5 2 4        4 2 3
- 1 3 6      - 1 8 6      - 1 7 6
  2 9 2        3 3 8        2 4 7

  3 1 2        3 2 6        6 1 5
- 1 9 5      - 1 6 2      - 1 5 2
  1 1 7        1 6 4        4 6 3

  3 5 4        4 7 2        5 2 3
- 1 6 9      -   8 5      - 1 8 2
  1 8 5        3 8 7        3 4 1
```

□ 안에 알맞은 수를 써넣으세요.

```
  2 5 3        4 2 6        5 3 6
- 1 9 9      - 1 8 3      - 1 1 7
    5 4        2 4 3        4 1 9

  4 2 6        3 7 5        4 2 3
- 1 8 9      -   8 6      - 1 9 3
  2 3 7        2 8 9        2 3 0

  5 6 5        4 3 1        3 8 7
-   8 7      - 1 7 6      -   9 8
  4 7 8        2 5 5        2 8 9

  2 6 5        4 2 6        5 3 4
- 1 8 7      - 1 3 8      - 1 6 9
    7 8        2 8 8        3 6 5
```

□ 안에 알맞은 수를 써넣으세요.

```
  3 5 2        2 3 5        4 3 6
-   8 6      - 1 7 9      - 1 1 9
  2 6 6          5 6        3 1 7

  3 2 4        5 2 4        4 6 8
- 1 6 8      - 1 7 6      - 1 8 7
  1 5 6        3 4 8        2 8 1

  4 5 3        7 5 3        4 5 3
-   6 4      - 2 7 9      - 3 1 8
  3 8 9        4 7 4        1 3 5

  3 5 2        6 1 4        5 3 8
- 1 2 6      - 1 4 7      - 1 6 7
  2 2 6        4 6 7        3 7 1
```

□ 안에 알맞은 수를 써넣으세요.

```
  5 2 6        4 5 2        3 5 7
-   8 7      - 1 8 0      -   9 8
  4 3 9        2 7 2        2 5 9

  4 2 5        3 1 7        6 2 5
- 1 6 8      -   5 8      - 1 2 9
  2 5 7        2 5 9        4 9 6

  5 3 4        4 6 2        6 1 9
-   7 5      - 1 8 3      - 1 4 8
  4 5 9        2 7 9        4 7 1

  7 3 5        6 2 8        4 2 3
- 4 5 7      - 1 5 9      - 1 8 6
  2 7 8        4 6 9        2 3 7
```